BOUMKŒUR

Rachid Djaïdani est écrivain, acteur, réalisateur. Il est l'auteur de trois romans publiés au Seuil, *Boumkœur*, *Mon nerf* et récemment *Viscéral*.

DU MÊME AUTEUR

Mon nerf
Seuil, 2004
et « Points », n° P 1297

Viscéral
Seuil, 2007

Rachid Djaïdani

BOUMKŒUR

ROMAN

Éditions du Seuil

Il faut que je sois franc,
alors, grand remerciement cimenté
à François Bercovici, l'homme à la voix d'or
et au geste du cœur ainsi qu'à Sara Rosenstiehl,
qui dans un Sahara de poussière couva ma lumière…

R.D.

TEXTE INTÉGRAL

ISBN 978-2-02-078995-0
(ISBN 2-02-048870-1, 1ʳᵉ publication poche
ISBN 2-02-035021-1, 1ʳᵉ publication)

© Éditions du Seuil, février 1999

Où sont nos repères, qui sont nos modèles, de toute une jeunesse vous avez brûlé les ailes, brisé les rêves, tari la sève de l'espérance... Mais aujourd'hui, cette jeunesse se crée ses propres repères, sa propre culture, le décalage des premières heures devient un fossé qu'il sera difficile de combler.

Le côté anecdotique, choisi par Rachid, pour raconter cette vie de quartier, rend son roman proche d'une authenticité qui n'appartient qu'à ceux qui naissent dans un bunker.

Suprême NTM

Une galère de plus comme tant d'autres jours dans ce quartier où les tours sont tellement hautes que le ciel semble avoir disparu. Les arbres n'ont plus de feuilles, tout est gris autour de moi. Moi, c'est Yazad, mais dans le quartier on me surnomme Yaz. C'est mortel comme il caille, j'ai l'impression d'être dans mon frigidaire. L'air que je respire me fait couler la goutte au nez. Pas de neige sur le dos de cette saison, le mois de janvier est entamé, déjà les fêtes sont terminées, de toute façon, je m'en moque, je n'aime pas les fêtes imposées, surtout celles de la nouvelle année. Pour les potes du quartier et moi, c'est toujours une nouvelle claque, devant les boîtes de nuit on se fait recaler, pas assez sapé ou pas bien accompagné ?

J'aurais dû penser à prendre mes moufles en daim et mon bonnet Los Angeles. Mais je n'avais pas le temps, obligé de sortir de la casbah rapidement. Comme je suis au chômage, il est préférable que je ne reste pas trop longtemps au plumard. Mon Daron, mon reup, mon père, a vite fait de criser : cinq ans de chomedu au palmarès. J'ai stoppé l'école à seize piges, maintenant j'ai vingt et un hivers, avec l'impression d'en avoir le double tellement le temps stationne. Depuis que j'ai arrêté les cours de l'Éducation nationale ou depuis que les cours de l'Éducation nationale m'ont sacqué, je n'ai pas vraiment eu l'occasion de bosser, pas assez d'expérience comme disent les boss. Tu parles ! Ils te donnent pas ta chance et te chantent tous en chœur : pas d'expérience professionnelle. Mon cul ! Même l'ANPE n'a rien pu pour moi, avec ces stages à deux demi-centimes qui ne servent à rien, à part faire croire aux parents qu'ils vont trouver un emploi à leur fiston comme futur smicard.

Y a pas un chat à cette heure matinale. Il doit être environ dix heures, vu l'épaisseur du brouillard. J'aurais bien aimé faire un baby-foot au local des jeunes, le maire l'a supprimé, il pensait que ce n'était pas un lieu de loisirs, mais un lieu d'échanges, pour ne pas dire un lieu de deal. C'est dommage, je me débrouillais pas trop mal au baby, en plus les parties étaient gratuites. Vu l'état de mes baskets, cela ne m'étonne pas, le vent glacial m'a gelé les orteils. Pourtant, j'ai pris soin d'enfiler ma paire de chaussettes la plus chaude, offerte par mon entraîneur de foot du mercredi après-midi. Il en avait marre de me voir shooter la balle avec mes fausses socquettes orange.

A l'époque la paire jaune à bandes vertes faisait deux fois ma pointure mais à présent elle me va comme un gant. Hélas, elles ne stoppent pas le froid qui a fait de mes doigts de pied une famille de glaçons. Cette année, j'espère un nouveau départ. J'ai décidé d'arrêter toutes mes bêtises. J'ai toujours voulu écrire sur les ambiances et les galères du quartier et j'ai toutes les cartes en main. Ma sœur m'a même offert un carnet, avec un stylo de moyenne qualité, mais, comme on dit, c'est le geste qui compte. Elle dit : si j'y mets mon cœur, je pourrais faire un joli travail. Ma sœur, elle s'appelle Sonia. Elle est cool, elle a vingt-quatre ans, ma grande sœur, seule fille de la famille. J'ai aussi un frère de vingt-six ans. Ensuite, il y a ma sœur et il y a moi. Après moi, il y avait mon petit frère Hamel qui nous a quittés pour aller chez les anges. Nous sommes encore tous chez papa-maman, dans ce petit F3 de la cité, au 12ᵉ étage, bâtiment de la Pie-Bleue, escalier C, au 3 allée du Résistant-Failevic…

L'appart est un peu juste au niveau de sa surface, mais on réussit à faire en sorte de ne pas toujours se retrouver au même endroit, au même moment, sinon y a risque d'embouteillage. Au bout de trente ans dans le même nid, les parents ont instauré des règles inviolables. En cas d'infraction, il y a sanction du style : si tu laisses tes affaires traîner, elles seront directement balancées du 12e. Donc, tout est bien rangé, surtout les objets fragiles.

Souvent j'ai la chambre à moi seul, quand Aziz mon grand brother s'évapore de chez nous, les périodes peuvent être longues, ça dépend. Y a des grands du quartier qui eux ne découchent jamais, ils sont comme maqués par leurs vieux. Aziz, lui, c'est tout le contraire, il part vivre chez des meufs. Il faut dire, c'est un beau gosse, ça aide pour la baise, surtout si en plus ça lui rapporte des pépettes. Le biz, c'est son nerf de guerre. Gigolo, mon brother ? Peut-être. Il fut un temps où il était dealeur, mais il s'est rangé, dealer c'est du bénéf sur terre, mais ça se paye toujours en enfer. Lorsqu'Aziz est de retour, il balance des tunes à mes parents, qui refusent de les empocher, pourtant on ne roule pas sur l'or. Le brother a beau essayer de les convaincre, à chaque fois c'est pareil, négatif. Son oseille ne fusionnera pas avec leur petit budget. Aziz leur tchatche que la société pour laquelle il travaille ne veut pas le déclarer, le taf au black explique l'argent liquide, ils n'en ont que faire, ils veulent voir des fiches de paye.

Oh là ! raconter mes bla-bla familiaux, ce n'est pas trop le sujet de l'histoire que je veux faire naître sur mon calepin. Si ma vie personnelle et familiale avait pu intéresser ne serait-ce qu'une personne, je l'aurais su depuis belle lurette. Le sujet, c'est mon quartier. Faut en profiter, en ce moment c'est à la mode, la banlieue, les jeunes délinquants, le rap et tous les faits divers qui font les gros titres des journaux. Pour ça, j'ai fait appel à mon pote Grézi qui est un peu les murs et les oreilles des tours. C'est un véritable caméléon, jour après jour il me racontera tous les délires, il est sur tous les plans. Il sera mon envoyé spécial. Par contre j'ai décidé moi de m'investir dans la construction de l'histoire, fonction qui ne sera pas des moindres. Aux faits, j'incrusterai une part de fiction pour le rêve, sinon, y a des chances que l'aventure soit à l'égal du temps qui pèse sur moi, c'est-à-dire gris comme froid.

Au début, Grézi n'avait pas trop apprécié l'héritage du poste de caméléon. Il n'y a pas trop longtemps que je le fréquente. Je l'ai souvent aperçu dans le quartier, mais jamais avec lui je n'avais argumenté. D'ailleurs, pour en dire davantage, me côtoyer c'est faire preuve de courage ou d'inconscience. Ma réputation n'est que mauvaise si l'on se fie aux commérages des entourages.

Il y a quelque temps de ça, je m'étais fait confisquer un peu de ma liberté. Dans une résidence pavillonnairement riche des hauteurs de la ville, je m'étais volontairement égaré. La récolte devait être bonne, car sur un bas-côté un vélo tout-terrain traînait. Il était sublime, cadre alu, jantes à bâtons, équipé shimano, la marque prestige du freinage, et une fourche à suspension avant. A toute allure, j'enfourchais le VTT aux vitesses carrément bien huilées. Mais au bout de trois coups de pédale sans élan, la police municipale me stoppa ; ne pouvant nier mon méfait, ma seule arme fut les larmes. Je pleurais et la voix usée par mes cris, j'implorais à faire pitié. Plus jamais, dans ma vie, je ne revolerais, que je leur bégayais. Au commissariat, ils étaient prêts à convoquer mes parents.

Mon Daron m'aurait tué. Une chose qu'il ne pardonne pas, c'est bien le vol. Pour lui, la transpiration paye le travail des objets, tout cela aux keufs je l'expliquais, tremblotant, les yeux rougis, la tête baissée afin d'obtenir leur grâce. Je précise, j'étais mineur à cette époque. Ils me firent copier cinq cents fois « qui vole un œuf vole un bœuf ». La punition ne s'arrêta pas là. Avec un balai et une serpillière, j'astiquai les gardes à vue. Des jeunes du quartier y étaient stockés depuis quelques jours. Interdiction de leur parler, même de les regarder.

Seul le bruit de mon exercice ménager devait se faire entendre. Un dernier sermon, et les policiers me rendirent la liberté. Heureux j'avais été, ce jour-là ma peau fut sauvée de justesse. Mes parents n'eurent jamais mot du délit.

Ce privilège, dans le quartier fit jaser les gars tout fraîchement détachés de leurs cachots. Ils m'avaient vu en train de chialer comme une madeleine, puis faire la dame de ménage appliquée, et surtout, ils me surprirent avec le stylo et le papier d'une punition corrigée par un stagiaire au képi vert. Pas de doute. Dans leurs esprits, l'encre de mes cinq cents lignes avait servi à balancer. J'étais devenu un indic, et, aujourd'hui encore, cette sale réputation me gratte à la peau. Auprès des semeurs de rumeur jalouse, je n'ai jamais cherché à me justifier. Le mal était fait.

Ma réintégration dans les halls d'immeubles devint interdite, les jeunes se solidarisèrent contre moi. Grézi me réconforte lorsqu'il me trouve désespéré par ma condition de pestiféré. Il a raison, il faut laisser dire. Un jour, ça passera, alors seulement je me sentirai mieux dans mon quartier auquel je reste fidèle, bien que mon honneur ait été bafoué. Grézi est plus qu'un simple associé à cinquante-cinquante, il est comme un frère. Pourtant, ça ne fait pas une éternité que l'on fusionne d'amitié. Un mois tout rond au compteur. Notre toute première conversation se déroula au centre commercial ; c'était l'anniversaire des dix ans de ce mammouth. Un animateur en costard-cravate, aux accents du Sud, faisait gagner des lots. Son micro répandait des questions sur la grande surface. Grézi, sans lever le doigt, tentait d'improviser de justes réponses à de mauvaises pioches. Alors, je lui en soufflais quelques-unes qui lui permirent de remporter les prix suivants : une nappe cirée vernie de fleurs, une cassette vidéo de son choix, un western il sélectionna. Et enfin la cerise sur le gâteau : une tirelire en forme de nichon.

Il me remercia chaleureusement, et voulut faire un partage équitable des biens. Il insistait, je refusais. Il me pria de le suivre, nous nous rendîmes chez le receleur de la tour 123, le dénommé Napoléon de son état civil. Les jeunes du quartier ne sont pas son meilleur vin chaud, mais il ne crache jamais sur les opportunités de leurs bizness. Il acheta les babioles et avec la tune, Grézi m'invita au Mac Do. Entre deux big mac et une gorgée de coca sans glaçons, nous trinquions à la paille, il me raconta sa vie dans la cité, elle était fructueuse d'événements.

C'est ce même jour que l'idée me vint de noircir le papier qui racontera l'univers du quartier. J'en parlai à Grézi qui accepta, à condition qu'à terme l'argent coule à flots pour réaliser son rêve, s'évader aux États-Unis de Los Angeles. « Et toi, ton rêve ? » m'a-t-il demandé. « Exister » je lui réponds. Il me sourit, chose rare. Là-dessus, il est assez égoïste. Mais comme l'émail de ses dents n'est guère une structure déterminante pour l'évolution constructive du récit, je me moquais pas mal d'avoir l'éclat de ses crocs dans le miroir de mon regard. Seules ses observations seront essentielles à mes oreilles.

Je ne tricherai pas, on est pas des pros de ce genre de taf, et alors ! C'est bien connu, c'est en forgeant que l'on chausse le cheval, fini d'être dans la politique du jeune assisté conditionné à tendre la main et attendre demain et après-demain… De ça y en a marre, à nous de saisir l'opportunité de nos projets, à présent, je prends, je griffe, je mords, c'est comme ça que ça marche, seuls les actes payent. Et puis les longues tartines on s'en bat les couilles, comme on a l'habitude de dire quand on ne veut pas se prendre la tête avec des phrases prises de tête. Ma seule préoccupation sera de témoigner.

Avec Grézi, il nous aura fallu un paquet de temps pour découvrir un lieu secret pour notre travail. A force, on a trouvé : c'est une remorque. Elle a été abandonnée sur le parking, les pneus crevés et la carrosserie cabossée. La fourrière ne l'a même pas chassée tellement elle est grosse.

Son volume est pile poil celui d'un bureau, c'est dans son intérieur qu'on a improvisé ; on y a mis des chaises, une table, on a même posé de la moquette, après avoir colmaté le plafond bâché qui laisse la lumière s'infiltrer, le chauffage est également de la partie, grâce à Grézi, qui dérobe des batteries. Même le frigidaire est installé mais il ne fonctionne pas, à moins de dévaliser toutes les batteries du parking. Presque toutes les options que l'on pourrait trouver dans un bureau sont présentes, sauf l'ordinateur, je ne sais pas trop m'en servir. Dans notre structure, Grézi a tenu à imposer une mini-TV qu'un grand du quartier lui a vendue pour pas un rond. D'ailleurs tout notre matos est TDC, c'est-à-dire tombé du camion, par accident. Par ici y en a pas mal. C'est toutes ces aventures que je vais raconter, pour me faire des tunes à gogo, pour que ça change. Comme c'est toujours les mecs de l'extérieur qui prennent l'oseille, en racontant des histoires, ou en faisant des films, moi aussi j'ai la haine, ma cité va craquer et ce n'est pas sur un air de raï que je ferai mon état des lieux.

Ron-piche ron-piche ron-piche c'est le refrain du dodo.

Le rythme de croisière s'installe, Grézi a commencé à me rapporter quelques histoires, quelques ambiances, style : les mecs du quartier ont tué le temps en compagnie d'un big poste laser, qui tire son alimentation de l'interrupteur du hall d'immeuble. Ils se sont mis à chanter et faire des impros au rythme de leurs battements de mains qu'ils font claquer de plus en plus fort, plus ou moins dans le même esprit que le flamenco. A croire que le Gipsy du quartier leur avait enseigné le tempo.

La petite bande sous le porche tente de se réchauffer à l'aide de petits pas de danse. La décoration vient de commencer, l'un d'eux sort son marqueur, massacrant les murs briquetés de mots d'amour et de rage. Les poubelles, elles inondent de puanteur tout l'oxygène que le groupe respire, l'odeur du big feutre n'arrange guère leurs narines qui se retrouvent à ras bords polluées. Pendant que l'artiste de la bande contemple son graphisme, les autres tranquillement se foutent dans le cerveau la fumée rauque du joint.

Ils partent dans des conversations, et se mettent à débattre au sujet du racisme. La dernière latte sera pour l'artiste qui conclura sans se faire entendre : « On est tous racistes, les Blancs, les Noirs et les Multicolores », puis il remontera la fermeture éclair de son bombardier et s'éclipsera dans la nuit, comme un fantôme solitaire.

Ron-piche ron-piche ron-piche c'est le refrain du dodo.

Petite promenade dans le quartier en compagnie de Grézi qui me ramène à l'endroit où la petite bande a tenu son débat l'autre soir. Le porche est complètement abîmé, abandonné. Les soins quotidiens du gardien ne le lustrent plus, celui-ci a démissionné. Les poubelles percées, la pisse et le sang se déchargent ici comme des champignons. Un porc ne pourrait vivre là sans avoir à craindre de se gober un mauvais microbe. Grézi est enrhumé et balance ses mollards dans la porcherie. Il me questionne, alors je mets en fonction mon décodeur de verlan, la phrase en clair correspond à ça :

— Yaz, faire un reportage, cela ne serait-il pas plus intéressant et enrichissant ?

Je l'écoute et il m'apprend : la semaine dernière, un cameraman de la TV est venu demander aux jeunes qui tiennent les murs s'il pouvait leur poser des questions. Bien sûr, qu'ils ont répondu, enchantés. Le décor choisi n'était pas très original, l'interrogatoire se déroula dans les entrailles d'une tour. Les jeunes, pour soigner leur image, étaient dissimulés sous des cagoules afin de ne laisser paraître que leur regard, comme s'ils s'étaient métamorphosés en affiche de *La Haine*. La mise en scène ne serait rien sans les oinjs au bec et les gros plans des seringues contaminantes, tous les clichés miséreux rassemblés pour le scoop. Le cameraman de la TV a même pensé à distribuer quelques 8/6 pour les bouches les plus pâteuses, l'alcool crache mieux le verlan. J'ouvre les guillemets des premières questions :

« Qui parmi vous possède des armes ? Qui vend de la drogue ? Qui a son bac ? Qui fait régulièrement ses prières dans les mosquées clandestines où règnent les membres du FIS et du GIA ? »

Et enfin :

« Quels sont ceux qui ont fait de la prison ? Je vous écoute. »

Aux premières questions tous lèvent la main question de se la péter gangster, mais aux secondes tous tapent le cameraman qui n'a pas senti le guet-apens se refermer. A base de gauche-droite sur la face et de balayages, le voyeur est chassé du quartier. La caméra, belle aubaine, est réquisitionnée.

Grézi m'a peut-être convaincu de faire un doc. Le prix de l'objet confisqué est dérisoire : cinq cents francs négociables. L'avantage du quartier c'est qu'ici les prix sont toujours au rabais, à l'exception bien sûr de la came et du shit, leurs grammes sont comme l'essence et le tabac, au tarif national, mais c'est un autre débat.

Après quelques raccourcis, Grézi me présente un jeune qui me vend les mérites de sa caméra grosse comme une baleine, le double de mon poids. Le cameraman de la TV devait avoir une colonne vertébrale blindée d'hernies discales. L'énumération des options de la came ne m'ont pas convaincu, ses batteries étaient à plat, dommage, j'aurais aimé filmer une partie de foot sur le terrain déserté par l'herbe partie en fumée à cause des trop nombreux crampons qui l'ont foulée.

En sortant de chez le vendeur, Grézi et moi assistons à une scène du genre comique. Un duo de Congolais traverse le quartier sur un pétaradant 103 chopper kité. Leurs casques sans visière sont gros comme les seins de Lolo Ferrari. A deux cents à l'heure, leurs yeux fouettés par le vent lâchent des larmes de crocodile, Grézi est plié en quatre pour lâcher ses fous rires. Les deux bikers d'une trentaine d'années ont des visages sympatoches, mais pour le passager arrière c'est une certaine peur que l'on peut lire sur son portrait, ses doigts de travailleur supportent plus ou moins bien la charge de deux sacs plastique pleins à ras bords de riz et de manioc, qui lui coupent sa respiration. Comme ses mains ne tiennent ni la selle ni les hanches de son collègue chauffeur, il se sent mal barré.

Leurs casques sont trop bizarres, on croirait des prototypes de la NASA, gros et blanc fluorescent. Sûr, si j'avais acheté la caméra, je les foutais tous les deux sur le toit de la tour 123. Filmés au ralenti, la lune elle-même les prendrait pour des astronautes, avec leur dégaine de science-fiction.

Après ce fou rire, je comprends que l'on est tous moqueurs. Si on avait eu un miroir devant nous, nous ne ririons pas autant, surtout Grézi, quand il sourit, il lui manque les deux dents du milieu perdues dans une bagarre, elles ont été remplacées par deux canines sur pivot.

Dans notre bureau, je commence à marquer toutes les histoires observées avec Grézi, focalisé sur le petit écran noir et blanc. Il a beau essayer de capter les ondes, elles ne viennent pas. De toute façon à cette heure-ci, il ne pourrait que tomber sur une sitcom où la blondeur et la blancheur des comédiens sont de rigueur. La soirée sera sans suspense, on verra des jeunes basanés, bien frisés, faire soit des braquages soit s'enfoncer des piquouzes dans les veines jusqu'à l'OD. A la télé, plus qu'ailleurs, on exploite les idées reçues. La batterie ne peut alimenter la télé et le radiateur. Il a débranché le chauffage, on se retrouve pratiquement enfermés dans le polaire d'une chambre froide.

Il a beau chercher, les ondes ne viennent pas percuter son antenne balancée de gauche à droite. Il la fait voler comme un avion, tout reste brouillé. Je l'observe, je le trouve beau et c'est ça qui me fait plaisir. Je n'ai pas envie qu'il arrête sa chorégraphie, ça me permet de m'évader, d'oublier qu'en ce moment à la baraque, c'est dur depuis que le Daron est au chômage. Décidément, ça devient l'une des seules choses qui se transmettent de père en fils.

Mon Daron sans emploi depuis peu, trois ans environ, a du mal à supporter que Maman mène la danse à la casbah, ils n'arrêtent pas de s'embrouiller. C'est infernal. Heureusement ils ne se battent plus comme avant, enfin il ne la bat plus comme avant on devrait dire, il a pris de l'âge, il a aussi arrêté de boire ses alcools de tueur qui le rendaient fou. Un jour, après un violent combat, Maman tomba dans les vapes, en sang. C'est l'épaule de mon grand brother Aziz qui défonça la porte verrouillée de la salle de bains. La pauvre, elle était comme morte, à plat au sol. A l'instant où on lui fit sniffer de l'eau de Cologne Maman retrouva ses esprits, avec des sanglots jaillis de sa douleur. Ce même jour, mon grand brother Aziz mit en garde le Daron : il le tuerait s'il relevait la main sur elle.

A cette époque, le Daron travaillait encore. Par ce fait, ses mains faisaient le double de ce qu'elles font à présent. C'est un détail qui joue beaucoup sur une joue. A la maison, nous le savons tous : ce n'est ni l'âge ni la fin de son alcoolisme qui ont stoppé les violences abusives du Daron, mais mon brother Aziz qui l'a K-Otisé jusqu'aux burnes dans ses élans.

Par contre, le Daron maintenant qu'est-ce qu'il gueule, mais tant que ça ne laisse pas de bleus, Maman trouve le moyen de le faire taire en lui rappelant que la vie est si courte, inutile de se plaindre, que le café n'est pas assez chaud, ou ses chaussettes pas repassées, les objets restent, l'homme disparaît. Alors tranquillement, elle prend le café, le réchauffe et repasse les chaussettes. Je crois que Maman a atteint sa sagesse.

Grézi n'a toujours pas capté sa chaîne TV, il dit : « Cette pouffiasse, elle ne veut pas fonctionner, c'est pas cool, c'est l'heure de mon Dragon Ball Z. » Il éteint le poste, laisse enfin atterrir l'antenne. Sans même dire quand il sera de retour, mon caméléon s'efface après avoir claqué la porte, pour aller voir son dragon ailleurs.

Ils sont vraiment graves ces petits jeunes, sans cesse ils te défient, te parlent de leur territoire, vantant une image d'eux toujours plus négative, qu'il pleuve, qu'il vente, la violence est leur meilleur parti. Ce sont de vrais boss des bacs à sable, qui préfèrent kiffer sur un gun plutôt que baver sur une jolie fille qui leur sourit. Il est vrai que dans le ghetto de leur cerveau, il y a des règles qui se transmettent, les caïds t'apprennent : bien armé tu possèdes le respect, cela t'apporte la cote avec les meufs, t'as comme deux zobs quand le flingue se cale à ton froc. Elles en raffolent, les pétasses aiment les chauds, alors, si elles aiment fort les chauds, les caïds te le répètent, il est logique de bander sur pétard avant de chercher à te faire des bombes de meufs. Moi je rigole car malgré tout, quand il est l'heure du dragon, l'enfant qui est en eux ressort au galop. Je me retrouve seul. Je n'ai plus dix-sept balais, pourtant j'apprécie autant que Grézi le coup de crayon des yeux bridés. Le sifflet de la récréation vient d'être donné, après le travail le réconfort. Je cadenasse les portes de notre remorque.

A part moi et Grézi, personne dans le quartier n'est au courant qu'elle est aménagée, sans quoi c'est sans pitié qu'on se ferait cambrioler par les jaloux de la cité. Les jaloux, ce sont les Gremlins, comme on les nomme nous ici, ils n'ont pas plus de dix-huit ans et déjà sont violemment méchants. Grézi les fréquente trop souvent à mon goût, mais il est obligé s'il ne veut pas se retrouver seul et sans renfort les jours où ça tournerait vinaigre pour lui. Les tête-à-tête, les mano-mano sont démodés, c'est la meute qui fait la force.

Le parking est immense, pas loin de mille quatre cents caisses sont garées lorsque les ouvriers sortent du boulot. Le Daron en avait une belle qu'on lavait tous les week-ends, on l'a vendue pour payer les dettes, même l'épicier ne nous fait plus crédit. Mais « attention », je ne pleure pas, moi j'ai jamais eu faim, Maman avec deux fois rien réussit toujours des festins et, comme dit le Daron, il ne faut jamais tendre la main. S'il savait. Sans la solidarité des voisins, on serait carrément déshydraté l'un de ces quatre matins. Clic, clac fait la porte cadenassée.

Ron-piche ron-piche ron-piche c'est le refrain du dodo.

A mon réveil, agité j'étais, par le souvenir du rêve de mon sommeil. Il était encore présent dans ma conscience. Cette nuit-là j'avais été transmuté en une sorte de super-héros qui sauvait à la pelle. Être un super-homme c'est cool, même si je ne me rappelle plus la couleur de mon slip pendant ma lutte contre la cité des hommes aux têtes écrans carrés. Je les ai tous zappés. A moi seul j'ai sauvé l'humanité. J'ai le ventre vide et une envie de me vider au double VC. Mais comme mon Daron est encore en train de se prendre la tête avec la Maman à mon sujet, c'est pas le moment de sortir de ma chambrette. J'ai tellement bien rêvé, je n'ai pas entendu le matin se lever. C'est déjà midi à mon réveil.

Grézi ne devrait tarder, mais si je n'ouvre pas la fenêtre, je ne l'entendrai pas siffler. Il pourra vider ses poumons et ceux d'une montgolfière. C'est du double vitrage, depuis pas trop longtemps. Comme disent les grands du quartier, c'est la nouvelle politique, on chasse les moisissures des façades, et on ne s'attaque pas aux virus.

Nos parents sont très heureux d'avoir des tours aux couleurs bonbons. Pour nous, le goût est toujours le même, « amer », comme si c'était en changeant l'aspect extérieur qu'on allait changer le mal de vivre en cité. C'est bien connu, c'est pas l'habit qui fait le moine. C'est le proverbe qui colle le mieux à la situation. Mais Zoubir, le barbu, le résume de la façon suivante : « C'est pas l'habit qui fait l'imam. » Ça fonctionne aussi.

Dommage, les portes des chambres ne sont pas multivitrages, parce que mes vieux font déborder leurs voix jusque dans ma piaule. J'étouffe, mes oreilles vont éclater, vivement que Grézi intervienne, le chauffage s'échappe. J'ai la chair de poule sur tout le corps. Je ne suis pas bien épais, 60 kilogrammes pour 1 mètre 80. On peut dire de moi : ce mec, ce n'est pas une masse… J'ai juste à me regarder dans la glace, me tourner et me retourner, je suis vraiment impressionnant de maigreur, c'est le meilleur moyen pour être complexé.

Si je réussis mon bouquin avec mes conneries et celles des autres, je m'inscris direct au gymnasium. Là-bas je pourrai faire de la musculation. Paraît y a de la femme, grave mortel. On raconte que pour prendre des formes elles se mettent des fils dans le fion, est-ce une obligation ? Trop, c'est grave. Je caille.

Malédiction, la glace de l'armoire ne voit que moi.
Du 12e, la vue est assez belle. Dommage, la tour 123
est plantée juste en face, elle me cache le terrain de
foot sur lequel régulièrement 80 et 125 de compète
tracent des pointes. Les motocross labourent la
surface de jeu avec les crampons de leurs pneus,
le stade est le seul endroit où la terre est présente.
Les footeux qui font des compétitions tous les
dimanches après-midi sont les premières victimes
des bolides qui laissent derrière eux des sillons qui
cassent les chevilles.

Ouf ! je suis sauvé, le sifflement de Grézi me
perce les feuilles de chou. En deux gestes trois
mouvements je passe ma tête à la fenêtre, je lui fais
signe. Me voici déjà dans ma paire de pompes dont
je tairai la marque, il n'y a pas de sponsoring dans
mon histoire, mais disons qu'après la majuscule
et avant le point final, dans la ponctuation d'une
phrase, il y a des virgules identiques à celles de mes
baskets.

Une fois l'embrouille de mes vieux esquivée
me voilà le cul sur la rampe d'escalier. L'ascenseur
est en panne. A toute allure les étages dégringolent,
l'aérodynamisme de ma position a nécessité de
longues années d'apprentissage, ma technique n'est

pas celle d'une taroupette, impossible de la décrire. Celui ou celle qui souhaiterait plus d'informations sur ce sujet est invité à se rendre dans une cité près de chez lui, ce n'est pas ça qui manque, les rampes fourrées de caoutchouc noir. D'avance, je sais que les minettes intéressées par des stages de glisse seront très bien accueillies, pour elles le tout schuss sera gratuit, à condition qu'elles aient un gros bonda. La fesse généreuse est l'un des critères qui contribuent à de meilleurs rapports entre l'élève et le professeur.

Arrivé au rez-de-chaussée, remise à niveau de mes ourlets. Le style, c'est important. Mon jean tombe parfaitement sur les virgules, ma démarche s'élance. Un petit zoomage dans la fente de ma boîte aux lettres, y a que dalle, bonne nouvelle pas de nouvelle. L'invasion des gribouillis sur les murs ne s'atténue pas, partout où une surface peut laisser s'exprimer une mine le tag apparaît.

A travers la porte vitrée, j'aperçois Grézi qui me tourne le dos. J'en profite. Après avoir franchi la porte d'entrée je lui bondis dessus tel un chat sur sa proie. Ça a marché, il a crié toute sa frousse. Je suis un bon prédateur, j'ai l'avantage, il écoutait son walkman à fond les oreilles. Grézi m'incendie de mots pas trop sympa, à vous ou à toi d'imaginer.

Je suis en train de penser comme ça, vite fait en passant, je leur dis tu, ou vous, à ceux qui vont me lire. Y en a qui n'aiment pas qu'on leur dise tu, comme les flics ou les profs à l'école, et y en a qui n'aiment pas qu'on leur dise vous, comme moi par exemple. Bref, Grézi n'a pas encore digéré la frayeur que je lui ai faite, il rumine comme si le fait de m'avoir insulté d'oiseaux des îles ne m'avait pas assez refroidi. Trop dans ma précipitation j'ai encore oublié mon bonnet L. A., mais mon pyjama sous mon fut compense. Mes moufles retirées, j'engage tout de même les salutations. Les traits du visage affûtés comme des teignes, Grézi refuse ma poignée de main.

Il me tend son poing, pour le shake, désormais c'est poing contre poing que ça se passe, le salut, c'est l'évolution de la culture-cité pompée dans les ghettos noirs américains. La poignée de main traditionnelle est réservée aux démodés. Le naturel revient souvent au galop, je me la pète hip-hop, me sape rappeur et je tends mon salut avec une poignée de main de taroupette, je suis un bidon :

— Yaz, arrête de réfléchir, tu me shakes ou tu veux me coller un vent ?

Plus vite que mon ombre, je dégaine : toc fait la musique du poing contre poing. On a de la chatte, pour ne pas dire de la chance, que notre culture-cité n'ait été inspirée par le baiser sur la bouche à la mode des goulags de nos camarades russes. Me faire emballer par Grézi, non merci, surtout qu'aujourd'hui il paraît un peu nerveux, pas rassuré, comme s'il avait appris une mauvaise nouvelle, y a pas à chier, il est préoccupé et pâle comme un flocon du mois d'hiver. Il me demande de le suivre dans les entrailles de la grande tour, celle-là même qui me coupe la vue sur le terrain de foot à option terrain de motocross.

D'un bloc à l'autre, le chemin de la traversée se passe d'un pas carburé. Une fois dans la cave, nos corps sont chaleureusement accueillis par les bouillonnants tuyaux arrivant tout droit de la chaufferie. Le lieu est paisible, les boxes des locataires du 123 ne sont que rarement visités, les marchandises qu'ils renferment ne valent même pas l'effort d'être présentées sur des étalages aux puces.

Grézi s'est assis à même le sol, il ne parle pas beaucoup, à vrai dire, il est muet. Tenant un paquet plein à ras bords de cigarettes, qui ne tardera pas à être rapidement consumé, mais avant, Grézi le superstitieux sortira l'une des tiges, la noircira avec la flamme de son zippo, les yeux fermés, et fera un vœu qu'il gardera secret dans son cœur, puis il réintroduira la tige black dans le paquet, elle l'exaucera quand, la dernière des dernières, elle sera fumée. La cérémonie de la tige effectuée, Grézi avec une autre baguette à tabac commencera le bricolage manuel, du découpage au collage, en passant par le filtrage, finalisé par le brûlage du caca de shitan qui déjà dégage une odeur paradisiaque pendant le mélange.

— Merde ! Vas-y, allume, Yaz.

La minuterie de la cave s'est arrêtée. Mon doigt dans le noir clique l'interrupteur et la lumière éclatante des néons jaillit aussitôt, illuminant de plus belle notre décor souterrain. Pendant cette courte nuit, Grézi a terminé son œuvre et extrait la substance magique à l'aide de longues taffes jamais secouées. De rêves illusoires seront remplies les cases vides de son cerveau. Le joint, c'est les vacances en 3 D, la grande évasion vers des voyages loin de soi. Les pauvres en raffolent autant que les bourgeois.

Moi, j'ai saturé le délire de fumette. J'assume d'être sain et sauf dans mon corps et mon esprit. Ce n'est plus le cas de mon petit frère Hamel qui a fait le pas vers des vacances trop coûteuses… La came. L'année dernière, à l'âge de dix-neuf ans, il faisait son ultime voyage. Malgré nos efforts, sans cesse replongeait la shooteuse dans le bleu de ses réseaux veineux. Malgré ses efforts, le manque du poison était sur lui toujours plus fort. Maman a pleuré pour lui toutes les larmes d'une mer, qui depuis s'est asséchée à la source de sa racine. Rien à faire, Hamel se déchirait, se croyant à l'abri d'une OD. Le Daron l'avait radié de son propre sang, il n'a jamais cherché à comprendre comment et pourquoi le frangin était devenu malade de toxicomanie. Tout ce qu'il savait, c'est que son fils était un drogué, un voyou, et par la même occasion le déshonneur de notre family.

Lorsque je chipais des pièces jaunes dans la bourse du Daron, c'est Hamel le petit frère qui écopait. Il s'en prenait plein la tête chialant sous les coups de fouet du martinet qui le zébraient. Traître j'étais, je n'osais avouer mon péché. Le fraternel était épié par le paternel qui le sanctionnait sans cesse. Alors, pour esquiver les coups, Hamel avait créé un langage qui lui permettait d'entrer dans la casbah sans que le Daron ne s'en aperçoive. Les jours où il n'était pas clair, il grattait la porte d'entrée, en miaulant à quatre pattes, pour éviter le judas. Mimi, le chat de ma sœur, lui avait inspiré cette ruse. Le Daron n'ouvrait jamais la porte au félin qui revenait de ses vagabondages, ça, Hamel l'avait remarqué. Seuls Maman, ma sœur et moi ouvrions la porte quand le passage était sans risque.

Je venais d'avoir l'appendicite, ma vigilance était désarmée, j'ouvris aux miaulements. Hamel, très mal en point, fonça dans la chambre, la malchance était sa partenaire ce soir-ci, le Daron réparait la poignée de fenêtre de notre dortoir. Il tomba face à son bourreau qui lui lança les mêmes louanges assassines :

– Espèce de drogué, tu vas tous nous tuer, empoisonneur, sors de chez moi, voyou, ou je te massacre…

La phobie intégriste du Daron, c'était d'être contaminé par le monstre Hamel qui pour lui était forcément sidéen puisque toxico. Jamais, après tous ces mots déchaînés, qui sortaient de la bouche de son père, l'enfonçant plus bas que terre, pas une seule fois Hamel n'a répondu. Pas de révolte, de tentative d'explication pour dire qu'il avait besoin d'aide, pas un cri d'au secours. Il baissait les yeux et sortait. Ses larmes empoisonnées l'éclaboussaient. Maman, elle, saignait dans son âme, muette de douleur. A cette époque, le Daron était encore le patron de notre chez-nous.

Le matin, le gardien est venu frapper à la porte, pour annoncer à mes parents que le corps de notre frère gisait dans une cave. Il avait, avec les nerfs musclés du manque, fracassé la vitre du hall d'escalier, dans un renfoncement, il s'était réfugié. C'est l'autoroute coagulée qu'a laissée échapper sa blessure qui permit de le retrouver. Il était comme pas mort, habillé du rouge de son sang. Le gardien a préféré nous prévenir avant la police, il avait bien vu qu'Hamel portait sur son visage la pâleur des anges.

C'est bizarre, c'est même étrange, mon père n'a pas paniqué, il a ramassé son fils qui pour la première fois le regardait fixement. Mon frère, par son courage, était devenu un homme. C'était la première fois de ma vie que je vis mon petit frère Hamel dans les bras de son père. Ces images sont à jamais encastrées dans ma mémoire. Ce jour fut le plus tragique de ma vie. Le poids du chagrin avait dévissé les points de suture de ma fraîche appendice. En urgence, on me déposa de nouveau sur le billard pour stopper l'hémorragie aggravée par ma chute dans les pommes. Le deuil de mon petit frère, je le passai à l'hosto loin des miens.

Même dans le coma de l'anesthésie, je priais pour que ce ne soit qu'un mauvais rêve. Souvent, je repense à la vitre fracassée par le poing du désespoir, une forme étoilée l'a transpercée, les fissures sculptées sur la feuille transparente me font penser à une toile d'araignée. Les arêtes tranchantes du verre sont peintes du rouge de sa mort. La feuille cristallisée est désormais remplacée par du plexiglas, c'est moins cher, moins mortel, les poings du désespoir ne peuvent plus la traverser pour passer dans l'autre dimension, celle du rêve.

— T'es bizarre, toi, pourquoi tu pleures comme une gonzesse ?

Grézi me sort de mes souvenirs.

— Je pleure pas, j'ai une poussière dans l'œil.

— Viens, je vais te la retirer, ta caillasse.

Il me souffle dans l'œil une bouffée de fumée qui ne m'inspire pas pour lui poser quelques questions sur les raisons de sa mauvaise humeur.

— Ça va mieux, tiens.

Il me tend un mouchoir papier.

— Mouche tes yeux.

— Merci, Grézi, je lui dis, tout poli que je suis.

— Y a pas de quoi, qu'il me répond. Regarde mon tour de magie.

Il sort de sa poche une allumette, la même que John Wayne dans ses génocides westerns. Il la frotte sur le sol, la flamme jaillit, il réalimente la braise de son pétard qui s'est pris une pause. J'ai bien envie d'aller faire un petit tour dans le quartier pour pirater des histoires, d'ailleurs j'y vais, marre de tenir la chandelle à Grézi et sa cigarette magique.

Une fois dehors, le vent glacial n'a pas tardé à me faire rougir le pif, pas une silhouette dans les parages. Même Gipsy, le galérien des souches rocailleuses, n'est pas à son poste. Il est le seul musico-poète du quartier, à longueur de journée ses doigts caressent l'instrument femelle, sa voix gitane nous enchante lorsqu'il lui fait cracher ses douces mélodies qu'il a créées comme l'identique conte de sa vie. Gipsy est un mystère pour chacun d'entre nous, les HLM n'étaient pas encore construites qu'il vivait ici. Il lui arrive d'être révolté contre les six cordes qui ne vibrent pas à sa guise. Son public, c'est les enfants des rues qu'il a conquis sans gros mots et sans hypocrisie. Il leur offre à la manière d'un juke-box des airs qui font danser les oreilles. Gipsy a la taille d'un jockey de tiercé avec des moutons de poussière en plus, son âge est fragile comme une chips d'argile. Jusqu'à tard dans la nuit, il colorie le temps gris qui n'a jamais raison de lui, regagnant son logis les doigts ensanglantés, la voix fatiguée. Gipsy est triste, les jouissances de sa femme guitare dérangent le voisinage, alors il la range dans l'étui, bien malgré lui. Y a pas de place pour être libre.

La température doit être de moins quelque chose, bientôt il ne sera plus possible de sortir sans son kilo de sel. Les enfants s'amusent à balancer des flaques d'eau transformant les allées en patinoires.

Comme à l'habitude, je perçois le léger filet symphonique des pleurs des voitures-police. Impossible de les voir à l'horizon. Ici il n'y a pas d'horizon, sauf au 25e étage de la tour 123, hélas l'ascenseur est toujours en grève. Rien à plagier, alors je retourne m'enfouir dans la cave du 123 à l'intérieur de laquelle l'amiante est bien présent. Elle y effectue un travail remarquable au niveau de l'isolation thermique. Le cancer ne m'intimide pas. Vite au chaud, ça caille dans cette cité.

La minuterie avait encore enterré l'endroit dans le noir le plus foncé. Je me dirige donc dans la direction du témoin lumineux. Un, deux, trois pas, me voici à tâter et appuyer sur le bouton, la lumière ne vient pas, à croire qu'elle est coincée dans un embouteillage à l'intérieur des fils EDF. Et à force d'insister me voilà sonné par un coup de bourre qui me foudroie me laissant sur le cul, K-Otisé.

Ron-piche ron-piche ron-piche c'est le refrain du dodo.

Où suis-je ? Je ne suis plus dans le couloir mais couché dans un lit confortable avec un bandage autour de la tête. Pas dans ma chambre et encore moins à l'hôpital. J'ai l'impression d'avoir dormi une éternité et par-dessus tout j'ai mal au crâne.

– Ça va mieux ?

C'était la voix de Grézi. Je le regarde fixement, apparemment mon regard parle autant que ma bouche, de suite il me raconte :

– Euh… t'inquiète, on est toujours dans la cave 123, dans un squat que j'ai aménagé. Pour la tête, excuse-moi, j'ai cru que t'étais un keuf quand j'ai vu ta silhouette dans le noir, j'ai paniqué et c'est moi qui t'ai assommé. Je t'avais pas vu sortir, la vie de ma mère, j'ai cru que t'étais un keuf, un condé, un schmit. Arrête de me regarder comme ça, t'es pas mort !

Comme je n'ai plus toute ma tête, je ne sais trop quoi dire de réfléchi, alors je laisse place à la spontanéité en lui répliquant plus lentement qu'à l'habitude :

– Merci, monsieur, de m'avoir laissé la vie… Et c'est comment que t'as fait pour me dessouder le cerveau ?

Avec un regard d'animal blessé Grézi baisse les yeux quand je lui repose la question :

– Comment t'as fait pour me dessouder le cerveau ?

Sa mâchoire claque tel le pont-levis d'une forteresse. Puis, très souplement, il me présente une serviette blanche dans laquelle au premier regard je n'aperçois qu'un morceau de bois verni. Mais au deuxième zyeutement je vois se décamoufler de la blancheur du tissu un objet plus féroce qu'un simple morceau de bois verni marron : un fusil à canon scié.

Je comprends de suite : c'est un coup de crosse qui m'a cabossé la boule. Grézi qui a toujours le regard baissé commence à faire pleuvoir ses nuages oculaires et toute la pluie salée atterrit sur le coton de la serviette blanche qui absorbe une à une les gouttelettes.

Il se lève d'un bond, à son bras pend le fusil. Il a son index en fusion avec la gâchette, le mariage est explosif. Il démarre une première et une deuxième série de cent pas sans parler de la troisième. Puis il desserre l'étau de sa tchatche et commence à se parler à haute voix.

– Pourquoi j'ai fait ça ? Maintenant ma vie est foutue, pourquoi je suis un connard comme ça ?

Cette phrase, il la lâche un bon paquet de fois ; franchement je suis dépassé, de quoi veut-il parler ? Grézi d'un coup devient fou. Il se met à frapper à coups de poing coups de pied sur tout. C'est sur le mur qu'il s'exprime le plus violemment, à coups de tête, chacun de plus en plus méchant, il a la tête dure, ça fait au moins dix coups de boule contre la cloison porteuse, il ne saigne même pas. C'est le mur qui doit souffrir. Mais un mur comme ça ne tombera jamais sur un coup de tête, Grézi le comprend, il arrête. Il ne semble pas avoir envie de délier sa langue davantage, à croire qu'il m'a tout expliqué en morse.

Voir un pote dans cet état, c'est pas le pied. J'aurais aimé l'aider, mais je ne pense pas qu'il en ait envie et sincèrement, le fait qu'il ne lâche pas son jouet à balles réelles, ça me refroidit pas mal pour lui déposer des phrases de réconfort. Des heures passent et sur le tabouret, j'ai l'impression qu'il s'est endormi. Je pourrais très bien le désarmer et lui poser des questions, mais un accident est si vite arrivé, j'opte pour dormir moi aussi, la sieste porte conseil. J'ai mal à la tête, ça ne pourra pas me faire de mal, j'espère qu'à son réveil il sera déchargé de son agressivité pour qu'on puisse discuter en paix. Putain de ta mère de bandage de mes couilles, lâche-moi la tête ! D'un shoot, le torchon atterrit dans la corbeille en plastoc jaune.

Ron-piche ron-piche ron-piche c'est le refrain du dodo.

Lorsque je m'éveille, je ne sais pas l'heure qu'il est. La pièce a retrouvé son accalmie, Grézi est debout face à face à son reflet que lui renvoie un petit morceau de miroir épinglé sur le mur. Il se caresse le visage, de sa poche il sort un peigne avec lequel il lisse ses cheveux roux comme une saison d'automne. Grézi est la parfaite reproduction du Gremlin, big shoes aux pieds, survêt bleu pas trop serré et pas trop large, doudoune de marque, c'est important, pull Lacoste et une petite chevalière en or au petit doigt. Pour avoir une image de son esprit, Grézi ressemble plus ou moins à Tony Montana dans *Scarface*, avec moins de gel dans les cheveux. Comme d'autres jeunes de son âge, il aurait aimé avoir comme grand frère Tony Montana, aussi j'aurais bien aimé l'avoir comme brother, ce killer.

Grézi, occupé à faire sa belle, me tourne toujours le dos, enfin, sans vraiment me le tourner. Le reflet de glace lui a scotché d'autres yeux.

– Pourquoi tu me regardes comme ça ? Je t'ai réveillé ? Ça va mieux, mon pote ?

Moi, en parlant à son dos :

– Il est quelle heure ?

A vrai dire, je ne sais guère si c'est mieux ou pire. Mon état n'est pas prioritaire, il faut absolument que je sache l'heure. A la baraque, si je découche, je me fais gronder pour ne pas dire massacrer. Merde ! Les piles de la pendule ont été rackettées pour son walkman. Plus aucune notion du temps. Grézi semble lâcher plus de mots, il est moins tracassé. Je peux commencer à le cuisiner, mais en vain, il n'est pas dupe. Il y a un silence de mort après mes questions. Ça n'a rien à voir, mais à ce moment je prends conscience que le lit sur lequel je suis encore allongé a des ressorts très très confortables. Après un long trajet d'hésitations, le moulin à paroles de Grézi se remet en route à une vitesse phénoménale, à croire le départ d'un sprint. Toute sa tchatche n'a dans mes oreilles aucun sens, il y a du gitan, de l'arabe, du verlan et un peu de français.

La génération de Grézi a inventé un dialecte si complexe qu'il m'est pratiquement impossible de le comprendre. Les jeunes à présent se sont ghettorisés avec leur mixage oral qui les laissent sur la touche de l'intégration. N'ayant rien pigé, je fais comme à l'école.

— Yaz ! Pourquoi tu lèves ton doigt comme ça ? T'es pas bien ou quoi ?

Je lui réponds comme un élève à son maître :

— J'ai rien compris ! Tu parles trop comme un Martien ! Calme-toi.

Sa réplique est la même que celle d'un professeur à un cancre, j'ouvre les guillemets :

« Va te faire enculer, je suis calme, si tu comprends pas ce que je te dis, moi je vais pas te parler à la Molière pour te dire que j'ai tué un mec. »

Dans une cave de très modeste superficie on découvre un lit de qualité relativement bonne. Les quatre murs gris, secs d'humidité, sont habillés de quelques posters de l'OM et de sexe, sur l'un d'eux sont pendus une horloge figée dans le temps et un éclat de miroir ne reflétant plus les âmes. Au centre de la pièce, il y a une table ronde sur laquelle repose un fusil à canon scié qui côtoie un walkman ne crachant plus d'écho. La porte est bouclée à double tour grâce à un gros verrou, sur celle-ci un clou planté a permis d'improviser un portemanteau pour une doudoune en cuir. Le silence de l'extérieur ne perturbe pas l'intérieur du lieu.

Une quantité d'objets fracturés est amassée dans une corbeille pleine à craquer. Grézi face à son miroir s'arrange les mèches. Yaz est couché. Seule sa tête dépasse de la maigre couverture. Ils sont dans cet univers de véritables caméléons. Après le silence né de la révélation précédente, Grézi n'a toujours pas regardé Yaz, les vrais yeux dans les vrais yeux. Yaz, plus tard, cassera le silence d'une parole calme, l'inquiétude se lit sur son visage. Son interlocuteur s'est réemparé de l'arme avec laquelle son index refait la rime parfaite sur la gâchette qu'il caresse. Au plafond est agrafée une verte ampoule lumineuse, elle a la forme d'une poire pas trop mûre. Elle éparpille de sa verdure dans leur espace cubal.

Grézi, quant à lui, continue à caresser le jouet du délit. Il commencera un long monologue avec une voix tremblante et pleine de peine :

— Y a de ça deux semaines environ, j'ai reconnu le gars avec qui je m'étais battu l'année dernière. C't'enculé m'avait foutu un coup de boule en traître qui m'a pété mes deux dents de devant. J'avais juré la vie de ma mère que si je le trouvais en dehors de sa cité, je le tuerais, ce fils de pute. J'avais juré ma mère la reine des putes, tu vois ce que je veux dire. Je l'ai suivi en douce et j'ai vu où était son bahut. Après c'était simple, je me renseigne à la cité pour savoir qui possède des armes. On m'a dit que Napoléon le receleur de gadgets possédait des fusils de chasse pour se protéger. J'ai attendu qu'il aille promener son chien. C'était du gâteau.

« Je suis entré aussi vite que je suis sorti. J'ai ramené le fusil chez un pote qui passe un CAP de métallier, il m'a scié le canon et comme il avait un pote en CAP de menuisier, il m'a aussi raccourci la crosse. J'ai vite fait de trouver des munitions, ici c'est pas ce qui manque.

Pendant ce temps Yaz reste à sa place, attentif à tout ce que fait son collègue le « monologuiste » et ne perturbe en rien sa récitation.

– Je l'ai trouvé à la rentrée des cours, devant le portail. Je l'ai braqué : il a commencé à vociférer, bien que je lui dise de faire ses excuses et comme ça je classais l'affaire. Il continuait à baver : « Vas-y, tire si t'as des couilles », en présentant sa poitrine. Sa meuf, la conne, chialait me suppliant de ne pas tirer. Elle avait ameuté tout le lycée. Elle aussi fermait pas sa gueule. J'sais pas, ils m'ont rendu taré, sans faire exprès c'est parti tout seul. Mais c'est sa faute. Il m'a provoqué comme si j'étais une baltringue, tu vois, en plus, y avait des meufs qui me mataient. Franchement t'aurais eu un fusil, toi aussi tu l'aurais éclaté, j'en suis sûr.

Comme par magie, une fumée épaisse entre dans l'ambiance. C'est une blonde. Grézi prend une certaine satisfaction à souffler le brouillard sur le visage de Yaz. Il continue sa version, fixant du regard Yaz qui bloque le défi.

– Le diable m'a envoûté, grâce à mon courage j'aurai une vraie réputation de Gremlin, il me l'a dit. En une fraction de seconde je l'ai abattu lui, et ma vie. C'est le diable, je te dis. Je me voyais, j'étais sorti de mon corps, je me regardais sans rien comprendre. Je n'étais plus le chef de ma chair, sa meuf et lui paniquaient, pleuraient en face de moi, j'avais l'impression qu'il me suppliait de les buter. C'est le diable : « Vas-y, tire », le coup est parti tout seul. C'est à ce moment-là que j'ai été libéré, comme exorcisé. Je n'ai pas vu son sang, je ne l'ai pas vu s'effondrer au ralenti sur le sol goudronneux. La fumée et l'odeur de la poudre ont chassé le malin. J'ai même pas entendu les détonations, vite compris, j'étais bon pour la prison à perpète si je restais cloué au sol, alors j'ai tapé la fuite comme une flippette.

Il propose la blonde à Yaz qui la refuse, Grézi l'écrase sur la table en bois, elle sera tatouée par la braise de trois points noirs.

— Je t'ai tout raconté, fais pas l'enculé, faut que tu m'aides.

Je ne sais trop quoi lui dire, s'il avait été à la place de Favielitto ça ne se serait jamais produit. Il n'a plus un doigt sur les dix qu'il possédait à sa naissance, perdus par une fausse manœuvre à l'armée. Souvent les Gremlins le taquinent et lui disent qu'il les a perdus en se branlant avec sa bite égoïne. Malgré son handicap subi pendant son service national, plus possible pour lui de prendre une arme et de tuer.

L'armée, j'irai jamais, faire la guéguerre ce n'est pas trop mon kif. Je suis français, mais même pas en rêve j'irai me faire saigner. La société à ce jour m'a toujours giflé, m'a toujours humilié, pourtant je suis français. Quand j'ai fait mes trois jours, j'ai joué au cinglé pour ne pas être incorporé. La guerre, je la laisse se régler entre les bleus, les blancs et les rouges. Grézi a appuyé sur une détente qui le transformera en taupe de taulard. Il me dit au même moment :

— Pourquoi je ne suis pas à la place de Favie-litto ? Fais pas l'enculé ! Aide-moi, Yaz !

— Je suis pas ta pute, je réfléchis, répliquai-je.

J'ai beau être plus âgé de quelque trois années environ, obtenir son respect n'est pas une mince affaire. Je suis sans cesse sur le point d'éclater, mais mon âge m'impose la diplomatie. Je sais, le fait de ne pas avoir été crapule dans une bande de méchants garçons lui laisse forcément croire que je suis une baltringue, une taroupette, une trompette, un crétin. Il n'a pas vraiment tort : au niveau des coucou-niettes, c'est pas tout à fait ça, trop tard pour me soi-gner. Je préfère réfléchir plutôt que me friter, mais mon physique y est pour beaucoup, malgré mon look de rappeur, le proverbe a une fois de plus raison : « L'habit ne fait pas l'imam. »

— Reste avec moi, on se cache quelques jours en attendant mes dix-huit ans, après j'irai me rendre aux keufs de la police nationale.

L'appartement est vide, la famille a dû partir au marché. Il n'y a que le chat qui se promène sur le rebord de la fenêtre. Pour lui y a pas de problème de vertige et contrairement au mec que Grézi a assassiné, lui a neuf vies. C'est lorsque j'ai gravi les douze étages pour récupérer un stylo que j'en ai pris conscience, je m'enfonce dans une histoire de complicité de meurtrier, tout ça pour le pacte : je reste avec lui quelques jours en attendant ses dix-huit ans, on fête son anniversaire autour d'un biscuit, après il se rendra aux autorités judiciaires, mais avant ça, il me livrera le best of du carnet de bord de sa mémoire.

J'ai pris une claque lorsque j'ai allumé la radio : c'est le 15 janvier. De bons kilomètres de sommeil se sont écoulés depuis le coup de crosse. Maman doit être folle, elle qui tous les soirs vient me border, m'appelant Hamel, toute pleurante. Le chat a pissé dans ma chambre ça pue grave, sans parler de moi, je schlingue, ça fait longtemps que je n'ai pas vu savonnette et eau. Il m'attend. Pas le temps de prendre une douche, j'ai la dalle, dans la cuisine rien à se mettre sous la dent. Faire plaisir à Grézi ? en descendant ma télé 33 centimètres, écran carré, mais il ne la quittera plus, il faut lui trouver une chose qui lui changera les idées. Y a les haltères, mais je ne pense pas qu'il ait le moral à ça. Tiens, les piles de ma brosse à dents électrique, je m'en sers jamais, il les refourguera à son walkman. Zut ! elles sont toutes rouillées.

Pourquoi ne pas lui descendre ma collection de *Playboy*, pour décharger sa tête de nœud ? C'est radical, moi-même il m'arrive de me purger dans les chiottes sur ces femmes belles comme pas possible et bonnes par-dessus le marché. Pour ces déesses ma langue lapeuse épuisera toute sa salive. Le jour où j'aurai une femme des magazines, ça voudra dire j'ai la tune, la queue ça vient après, dommage, je crois être bien monté.

Si Maman tombait sur ma bibliothèque secrète, elle croirait que je suis un obsédé. Sous mon matelas c'est un sex-shop. Avant, ma mère faisait ma chambre pour ne pas dire qu'elle la défaisait, façon perquisition américaine, à la recherche de la came d'Hamel. Mais aujourd'hui plus personne ne s'y aventure. La dernière personne à s'y être risquée, c'est Sonia, ma grande sœur. Elle l'a regretté : en pensant se parfumer, elle s'est gazée. Par méfiance, j'avais recouvert ma bombe lacrymogène d'une étiquette de déodorant. C'était une police 12 %. Pour Sonia ç'a été direct l'hôpital, pour moi un zébrage sur tout le corps avec la ceinture pur cuir de mon Daron. Mais l'année dernière j'étais un peu difficile, seule la ceinture me rendait l'intelligence, merci Papa.

Descendre ma lecture ce n'est pas la meilleure idée, surtout que, dans le squat, il n'y a qu'un lit. On ne sait jamais, s'il est impulsif, pas envie d'avoir un perçage de rondelle.

Quand j'observe le chat Mimi qui fait le beau sur le rebord gelé de ma chambre, je me demande : si je le poussais dans une chute puissance 12, sur le sol, il rebondirait ? Ou le peindrait-il du relief de ses tripes ? Moi je ne crois pas à cette histoire de neuf vies, mais tuer un chat noir porte malheur, alors je préfère m'abstenir de l'idée qui me trotte. J'avoue, ça m'excite assez de le faire. Grézi m'attend, je n'ai pas de piles à lui passer. Pour faire passer son temps dans ses oreilles au rythme de ses cassettes de R. A. P. « for me pour speek in english », je vais prendre le dictionnaire de Sonia : le niveau des mots que j'utilise n'est pas assez chic, avec les mots complexes du dico, j'aurai l'air d'être un intello pour les gens qui me liront, car ce qui compte ce n'est pas d'être intelligent, c'est de le faire croire. C'est pas la croix qui fait le moine, mais sa coupe au bol qui le trahit. Ce n'est pas un dicton blasphématoire même si le sens m'échappe, c'est la preuve que Dieu existe.

Eh ! Qu'est-ce qui m'arrive ? J'écris n'importe quoi. Il faudra effacer le dicton blasphématoire et son commentaire. Pour parler de Dieu, ce que je peux en dire, je crois en ses créatures divines, les femmes, surtout celles de mes magazines. Y en a une surtout qui m'a cloqué la main plus que les autres, c'est Julie. Elle a fait la couverture de *Playboy* cet été : blonde aux cheveux longs, mi-fesses, avec des jambes taillées pour baguer le corps des hommes pendant l'amour. Son sexe, juste d'y penser, me fait rêver et bander pour elle plus dur qu'un coup de poing de Mike Tyson.

Dans un plumard brodé d'étoiles je me vois la doigtant avec Index et Majeur, deux spéléologues confirmés, agilement ils défricheront et dégivreront la source de sa zizounette. Ses lèvres généreusement baveuses afficheront un sourire de welcome à mon pénis sculpté dans une coulée de lave volcanique tellement brûlante que si le diable m'avait fait une pipe il se serait carbonisé.

Le pistonnage de mon magma dans son con océanique sera rythmé par les tambours de l'amour jusqu'au compte à rebours du jet final qui sera plus violent que le Big Bang. Mais au final c'est toujours pareil, c'est mon poignet qui a cramé mon fantasme et mouillé les draps d'une semence de sperme sacrifiée par le rêve… une branlette. Je ne fais pas une fixette sur Miss Julie, mais son parfum sent si bon qu'il m'a envoûté.

Il revient à ma mémoire des souvenirs par milliers, je riais à gorge déployée lorsque Maman me racontait des histoires sur les sorciers marabouts du bled, soi-disant qu'ils étaient capables de te faire dire des choses que tu ne pensais pas, ou bien, d'après elle, ils seraient même capables de transformer l'homme en animal. A présent j'ai pas l'air bête, je me pose la question suivante : mes éclats de rire ne m'auraient-ils pas valu un maléfice qui me condamnerait à emprisonner l'image de Julie dans ma mémoire ?

Elle avait raison, Maman, il ne faut pas rire de ces choses-là, ça porte malheur. Mais il ne faut pas non plus que je me fasse une parano, y aurait vraiment un problème si j'avais eu la gaule sur un godemichet ou sur une carrosserie de ferrari. Si y en a un qui se fait respecter dans notre quartier, c'est bien le sorcier marabout de la tour 123 entre les offrandes de poulets, de moutons, et peut-être même de vaches, pour lui tout est bon à sacrifier, peu importe la santé des bêtes, fou ou folle, c'est purifié par sa lame tranchante comme une morsure de pitt-bull.

Il est probable que l'un de ces jours j'aille lui rendre visite. Je le payerai pour qu'il me désensorcelle de celle qui me bouffe l'âme de ses charmes charnels. Il est certain que la sentence de l'ordonnance soit carrément barbare : le sacrifice d'une bête pour m'exorciser. Mimi le chat sera l'heureux élu et par la même occasion une excellente sucrerie pour la pitt-bull de lame qui lui tranchera la gorge. J'en suis sûr, Mimi sera heureux de me rendre ce service. Le chat, comparé à une poule ou un mouton, a neuf vies.

Con je suis. Le dico que je tiens vient d'être projeté à trois cents à l'heure contre le miroir qui me fixe, c'est sept ans de malheur assuré. Il fallait bien me défouler un jour sur ce reflet de moi qui m'a toujours ridiculisé. Le dictionnaire s'est retrouvé en confettis.

La porte claque derrière moi, je pose mon cul sur la rampe, et j'atterris plus rapidement que Flash au rez-de-chaussée. Je lorgne en signe de croix, à droite, à gauche, puis en haut et en bas, amen, personne dans le secteur. Je me prépare à taper une pointe : « Are you ready ? » La pneumatique de mes baskets à virgules doit tenir la route, je me suis mis la pression, un, deux, trois, je vole vers le 123 et je m'y dépose sans qu'un sniper caché derrière ses rideaux ne m'ait vu pour m'abattre d'un coup d'œil. Je reprends mon souffle et siffle mon ombre qui, dopée comme Carl Lewis, me rejoint. Elle transpire bien plus que moi. On récupère quelques secondes et je pénètre dans la cave afin de rejoindre Grézi dans ce qui va devenir, au premier sens du terme, un véritable bunker.

L'unique entrée, je vais la bunkériser avec tout ce qui me passe sous la main. Ça a pris le temps. J'observe en silence le méli-mélo de mon barrica-dage de porte : c'est pas le travail d'un petit joueur, j'ai peut-être loupé une vocation. Ils auraient fait appel à mes services à Saint-Bernard, c'est pas à la hache que les CRS auraient tranché la porte de l'église, mais avec un bazooka. Boum boum boum font mes coups de pompe contre la chêne de porte du squat d'où s'échappent par endroits de vertes lames lumineuses qui sont aussitôt dévorées par le sourire éclatant du néon.

– Grézi ouvre ! C'est Yaz.

Tranquille le chat, Pacha la souris, comme dit le chien, je montre patte blanche, manquerait plus qu'il m'assomme une seconde fois. Toujours pas de réponse ni d'ouverture de Sésame. Alors c'est en pivert que s'est transmuté mon pied droit qui martèle la doors d'un rythme endiablé, comme quoi le foot, même si je n'étais que remplaçant, ça peut servir pour se faire entendre, lorsque le collègue s'est sodomisé les orifices avec des écouteurs qui éjaculent des lyrics explicites, dans ses oreilles dépendantes du tempo du Suprême NTM.

Je monte le volume :

– Grézi ! ouvre, c'est Yaz… Zi va, vrirou la teport c'est Yaz que j'te dis, fais pas le baltringue. *Phrase décodée* : Grézi ouvre, c'est moi Yaz, je suis de retour, fais pas l'imbécile, ouvre.

J'aurais dû m'enregistrer : avec le rythme endiablé du pivert et mon flot de paroles, j'ai improvisé quelque chose de cool, je suis un requin assassin grâce à la morsure de mon phrasé. Pourtant je m'efforce de ne plus tchatcher verlan, mais quand je suis énervé il réinvestit ma langue. Mon verlan comparé à celui des mecs comme Grézi, c'est niveau CP. Leur verlan à eux c'est niveau bac + 10 dans l'université de l'école de la rue.

– Yaz, arrête de défoncer la porte comme ça, elle est ouverte.

360 degrés a fait ma tête pour découvrir Grézi qui me précède. Il est en short, pieds nus, torse nu, la tête rasée, le pire, il s'est peint en vert toutes les surfaces de son corps.

Je m'installe en face de lui, seuls ses yeux sont visibles, l'odeur que dégage son corps imprégné n'est pas trop désagréable. Le fusil est toujours sur la table, Grézi ne semble plus y faire attention, sans doute une récréation pour le jouet. L'atmosphère est pour moi insupportable. Qu'est-ce qui lui a pris de se déguiser en Fantomas ?

– Je ne pensais pas que tu reviendrais. Merci, Yaz.

Fin de la récréation pour le jouet, Grézi vient de se mettre le canon sous le gosier.

– J'ai les couilles ou j'ai pas les couilles de m'envoyer en l'air ?

Silence. Il me lâche un regard, referme les yeux et la voix en sanglots il se répond.

– J'ai pas les couilles, mais de toute façon je suis déjà mort.

A moi de lui lancer :

– Pourquoi tu t'es fait ça ? Tu crois pas que t'es

assez dans la merde pour en plus te peindre en vert… T'es malade, allez, donne-moi ce fusil.

Bien sûr, le fusil, il a fallu lui arracher des mains, par chance il n'y a pas eu d'accident. Il se dirige vers le mur sur lequel est fixé le petit reflet, plonge son regard à l'intérieur de celui-ci, sans me calculer pour autant :

— Je suis resté deux à trois heures tout seul dans le squat, j'ai vu mon visage, je me suis fait peur. J'ai défoncé la cave de Napoléon, j'ai pris ses provisions. Là-bas, j'ai trouvé de l'argile, chez moi ma mère avec cette terre, elle se fait des masques, elle dit, ça rend la peau douce comme les anges. Alors pour une fois, j'ai voulu essayer, je n'espère pas devenir un ange, mais j'aimerais être un autre que moi. En ce qui concerne mes tifs, je me suis rasé car je n'ai jamais aimé l'héritage. Si t'as faim y a des pains d'épice sous le lit. Et Yaz, merci encore, j'ai apprécié comment t'as bouché la porte d'entrée.

Je lui propose un morceau de pain d'épice qu'il refuse, manquerait plus que ça lui ait donné l'appétit. A peine je commence à placer deux trois mots qu'il me fait un barrage en me grondant.

— Qui va moisir en prison ? C'est pas toi, c'est

moi. Alors écoute, mon anniversaire c'est dans trois jours, on va écrire les histoires que tu veux, ensuite je vais en taule. On oublie cette affaire. J'ai toute ma vie pour m'en souvenir, mais s'il te plaît laisse-moi oublier trois à quatre jours, OK !

Le pacte conclu, je ne peux plus faire marche arrière. Une question de taille se pose à moi : par où commencer ? Le racisme ? La violence ? La politique ?… Si je devais écrire comme je pense, je commencerais par dire je suis fatigué et les pains d'épice ne m'ont pas nourri. Grézi vient de s'endormir sur le lit, il est couvert, du moins je le crois. Maintenant il est vraiment invisible, le vert dans le vert, ça ne fait que du vert, aussi, je suis vert, mais vert de peine, pour une nouvelle victime de la société qui sera punie d'avoir commis un meurtre à cause de l'orgueil fougueux de sa jeunesse et aussi à cause d'un poivrot, facho comme un rat, qui possède chez lui une véritable armurerie pour se protéger du bicot et du négro. La main sur le cœur, il chante *La Marseillaise* en se faisant saigner les veines, montrant aux enfants du quartier de quelle couleur est le sang des Napoléons.

Grézi n'a remporté qu'une maigre bataille en défonçant sa cave, car à part gaver nos estomacs, sur ce coup-là Napoléon a gagné la guerre. C'est un homme d'une cinquantaine d'années, à la tronche si rougie par le vin qu'on croirait qu'il débarque de la planète groseille. Il habite au 6e étage de la tour 123, il n'est plus marié depuis le jour où sa femme l'a cocufié avec un immigré à la quéquette très foncée. Désormais son meilleur ami est une chienne bâtarde que les Gremlins ont baptisée Féfène. A l'époque, il avait un berger qu'ils avaient surnommé Triple K. Triple K est mort empoisonné, toutes les fenêtres de chez Napoléon étaient ouvertes, pour aérer. A l'aide de sarbacanes, les Gremlins soufflèrent des boulettes de viande hachée, l'une après l'autre, Triple K les goba ; hélas pour lui, toutes étaient gavées de mort-aux-rats. Napoléon a toujours cru que son chien était mort contaminé après qu'il a déchiqueté le mollet joufflu de Gipsy le musico-poète. Féfène est équipée d'une muselière. Car Gipsy est toujours en liberté. La chienne lisant dans les pensées de son maître pourrait être tentée de lui croquer l'autre mollet, alors il anticipe. Sa Féfène, il ne voudrait pas la perdre.

Napoléon n'est pas un facho comme les autres, le jour du décès de mon petit frère, il a offert une aide financière, pourtant personne ne l'avait sollicité pendant la collecte. Hamel, quand il avait l'âge des petits enfants, allait à l'école maternelle, son maître c'était Napoléon. D'ailleurs grand nombre d'entre nous l'eurent comme maître.

Grézi est extrêmement désagréable, respirant très fortement, à se demander s'il ne va pas nous cramer le peu d'oxygène qui nous reste. De quoi peut-il bien rêver ? Il est relax, je remarque vraiment un corps d'athlète sous sa nouvelle carapace, même sans ses groles, il a toujours cinq centimètres de plus au-dessus de ma tête. Il aurait fait du sport avec ses 1 mètre 85 et 70 kilos environ, un crack il aurait été.

Mais le sport ça demande beaucoup de sacrifices pour se sortir de sa merde. Tout le monde n'aime pas forcément le sadomasochisme du parcours de la réussite du sportif. Ce n'est pas drôle ce que j'ai idée d'écrire, mais je le pense alors je le dis. Grézi aurait été un champion au ball-trap sur cible mouvante. No comment.

A son tour, ma main contemple les contours du joujou. L'enfoiré m'a fait un coup de bluff, le chargeur était vide. Ça m'avait bien surpris qu'il ait le courage de se foutre le canon sous la langue. Le calibre des pruneaux me semble assez inoffensif, mais bien visés dans l'œil, ils doivent terrasser. Je me demande où il a pu foutre toutes ses sapes. Il ne va tout de même pas aller chez les keufs dans son habit vert. Dire que la dernière fois il m'a laissé tomber pour aller suivre son dessin animé.

Mes pensées dégomment mes feuilles blanches et ne font que me salir le moral, je prends conscience, je suis dans la même merde. Nul n'est censé ignorer les lois. Je le cache, donc je suis complice aux yeux de la justice, conclusion : il faut être relax. Y a pas de raison que je ne sois pas un copieur. Si lui il pionce, moi aussi je vais me taper un somme. Mais de quoi pourrais-je bien rêver pour faire passer le temps ? C'est dommage que l'on ne puisse pas capter nos rêves grâce à de minuscules antennes paraboliques incrustées dans nos cerveaux, y aurait plus de souci d'insomnies, je zapperais, passant du rêve sexuel au cauchemar intellectuel. Et l'autre qui ronfle férocement. On ne le voit pas, mais il sait se faire remarquer. La prochaine fois, je lui demanderai de me prêter une idée de rêve, question de partager aussi les bonnes choses ensemble quand on a les yeux dévorés par nos épaisses paupières.

Le jouet a retrouvé sa place sur la table ronde. Le lit, une maigre chaise en ferraille que mon cul a vite fait de réchauffer aux 37 degrés réglementaires. J'attends que le sommeil me pique, je le provoque en comptant les moutons, ils ont vite fait de foutre la pagaille dans mes comptes, envahissant l'espace vert du squat. Parole, compter les moutons pour dormir, c'est pas une bonne idée, alors je les déguste en méchoui afin de les faire disparaître de ma vue. Je les digère si bien que je sens arriver le marchand de sable.

Je bâille avec grand plaisir. J'ai pas fait le programme du rêve mais je souhaite qu'il soit à la hauteur de mes espérances. Aïe ! Ça y est, il vient de me piquer, je dors peut-être, et je me souviens de ma vie de jeune romantique, j'étais amoureux d'une belle fille. Elle était métissée française asiatique, une Eurasienne qui s'appelait Satîle, fine comme un roseau, son regard en amande fondait dans mes yeux. Elle ne voyait que moi, et moi qu'elle. On était deux mais ne faisions qu'un, à chacun de ses baisers je la redécouvrais. Nos projets étaient nombreux, nous marier n'était qu'un passage à composter le jour de notre majorité. Elle adorait les enfants. Dans le quartier, on nous soutenait. Tous savaient que ses parents, comme les miens, ne voulaient pas de brebis galeuse dans leur clan. A dix-sept ans, avoir une amoureuse, c'était pour moi, jeune des cités, le moyen d'être occupé à autre chose que la galère. On se voyait en cachette de nos familles. A ce jour, nul autre sourire que le sien ne m'a ensoleillé. Elle sentait bon comme c'est pas permis, sa peau était tissée dans la douceur. J'étais moite de partout quand Satîle me respirait ses sentiments. Pour lui prouver mon amour, je priais ciel, terre qu'elle ait des problèmes de santé pour lui offrir l'un de mes reins, de mes poumons ou de mes yeux. Mon cœur, pour elle, pouvait battre pour deux.

Mes parents ne l'aimaient pas, cause sa mère était une ancienne prostituée qui depuis s'était recyclée dans le minitel rose. Ses parents, eux, ne voulaient pas me voir avec leur fille, j'étais un illettré comme il disait. Satîle s'efforçait pourtant de me cultiver, en me faisant la dictée, la lecture et le calcul. C'est avec elle que je découvris les délices charnelles. Je m'enfonçais en elle, nos corps chauds, carapaces nervurées de sillons microscopiques, ruisselaient d'une pellicule scintillante. Satîle avait des petits nichons à la Miou-Miou qui devenaient piquants comme les dards d'une rose. Je les mordillais pour les ramollir, mais en vain, elle avait vraiment des tétons rebelles. Après quelques vagues de va-et-vient, je me retrouvais plus essoufflé qu'un centenaire franchissant la ligne d'arrivée du marathon de New York. La chambre de ses parents était vraiment le lieu rêvé pour notre communion. Sa mère l'avait décorée façon rose bonbon.

A chaque fois que ses vieux disparaissaient, nous nous infiltrions dans la suite équipée d'un magnétoscope et d'une vidéothèque pleine à craquer de X. Satîle mettait sur pause les poses qu'elle affectionnait. Elle n'avait aucun tabou à l'endroit autant qu'à l'envers. Le sexe avec elle c'était comme à la guerre. Tout était torpillé. Main dans la main nous nous promenions dans les parcs voisins et, à sa demande, je lui récitais par cœur les poèmes qu'elle m'avait appris. L'alphabet était ma première récitation. Elle voulait devenir avocate, son crâne c'était un stock de matière grise ultravitaminée. Mais en rien elle ne négligeait son éducation physique, c'était une athlète qui récoltait des médailles à chaque meeting. Le saut en longueur me l'a prise à tout jamais, une compétition de plus, et une victoire gold supplémentaire. Dans les parages un détecteur de futurs olympes ne resta pas indifférent à ses performances qui égalaient celles des meilleurs nationaux. Il la recruta sur-le-champ, avec un contrat de sponsoring à la clé. Fini d'être enlacé par ses jambes fuselées à la Marie-Jo Pérec. Finies, les gâteries, elle ne se vissera plus en moi. Fini d'avoir le dos lacéré par ses ongles vernis d'acier, finis les soupirs et les gémissements provoqués par la rageuse giclée qui nous dégrafait l'un de l'autre avec l'identique douleur oubliée que j'avais dû ressentir le jour où le sécateur scia le ruban de ma naissance, qui me reliait à Maman. La belle Satîle n'a plus jamais remis les pieds dans notre quartier, c'est à croire qu'elle renia ses racines banlieusardes. Même pas un saut, elle ne refit pour voir ses parents, elle nous a tous lâchés, l'opportuniste.

Ron-piche ron-piche ron-piche c'est le refrain du dodo.

Ce matin, j'ai cru qu'une bombe venait d'éclater. Ça fracasse mon sommeil éphémère. Véritable électrochoc qui me met au garde-à-vous, raide comme un coup de trique. C'est encore un stress mémorable de Grézi qui, faute de coq, vient d'imiter le chant du walkman éclaté contre un mur.

D'une voix déjà prisonnière, il me dit :

— Ils m'ont balancé, les flics savent que c'est moi. On est morts, Yaz, je te jure.

La gueule encore dans les vapes, et la voix mollardeusement rauque du réveil.

— Quoi ? Qu'est-ce qu'il y a ? Pourquoi tu dis ça ?

— Les policiers ont interpellé mon père pour le ramener au poste, pour une garde à vue. On m'a dénoncé, ça devient dangereux, la police va me mettre la main dessus. *Phrase non décodée :* Les keufs, ils ont pécho mon reupe pour le menra au stepo, en garde à uv. On m'a lanceba, c'est trop auch, les steurs vont m'serrer.

Sur ce coup-là, le sacrifice du baladeur est cautionnable. On résistera mieux sans ses informations. D'après Grézi, aux infos c'est notre aventure qui fait l'ouverture. L'enquête de la police avance à grands pas. Ils savent Grézi coupable, il a été balancé. Son père vient d'être placé en garde à vue pour être à la disposition des enquêteurs de la Criminelle. J'avoue, j'ai peur, et même si par moments dans ma vie j'ai eu une foi blasphématoire, j'espère qu'Il nous aidera.

Grézi, tout de pierre vêtu, ne peut empêcher les battements de son cœur. Il me donne le vertige à faire les cent pas, pieds nus, en silence. A mon tour, je me lève sans pour autant déranger sa solidaire solitude. A se demander qui est le plus invisible des deux. Il ne dit mot, et me passe très bien le relais.

Le silence ne dort pas entre nous, il est mort, du moins, je le croyais, le souffle d'un brin de bruit vient bourdonner à mes oreilles. Il a un son d'agonie, c'est l'extra-plat sony, fracturé au plus profond de ses options technologiques. Grézi perçoit autant que moi les grésillements de sa machine qui se meurt dans l'hémorragie de ses batteries. Le walk-man kamikaze aurait dû avant de parler tourner sept fois sa langue dans sa bouche, ça lui aurait permis de faire une censure sur l'information.

Ma frousse vient de me filer une grosse envie d'uriner et de déféquer, pour ne pas employer des termes trop merdiques. Grézi semble me calculer, stoppe ses séries de cent pas pieds nus et ouvre ses guillemets :

— Où tu vas ?

— Je vais chier, ça va me faire du bien.

— Je viens avec toi, j'en ai marre de rester ici à me glander.

— Non, c'est bon, je préfère y aller tout seul, Grézi !

Avant qu'il ne parte, tout précipité, Grézi m'indique un endroit qu'il a déjà inauguré. J'ai un ricanement complice quand il m'apprend que les chiottes de secours se trouvent dans la cave de Napoléon. Grézi est un mec étrange, par instants il se comporte comme si j'étais sa meuf, il veut savoir où je vais, où je suis… Lorsque je lui dis « je préfère aller déféquer avec mon intimité », il a été comme troublé, à croire qu'il croit que je vais m'échapper. Il lui arrive de déguerpir de longues heures me laissant seul face à une porte verrouillée à triple tour et quand il revient, mes questions restent sans réponse. La tête rasée, le corps crevassé par sa croûte d'argile, Grézi semble s'être pris pour Marlon Brando dans *Apocalypse Now*. Destination la cave de Napoléon, si je me remémore ses consignes, elle se situe tout au fond à droite.

— Si tu trouves pas, ferme les yeux et ouvre ton nez, qu'il me lance de je ne sais où.

Le zen ouvert, l'odeur me rapproche de la cave à petits pas. Me voilà, en face, je grappille encore quelques instants dans le noir, gardant les yeux fermés. J'aurais fait un bon aveugle, je n'ai heurté aucun obstacle. Faut dire que les entrailles des tours, je les connais par cœur. Toutes conçues de la même manière. Des deux parois verticales en briques rouges une seule est incrustée de portes, toutes au chiffre impair, distantes de deux mètres l'une de l'autre. Les portes qu'abrite la paroi aux chiffres pairs ont été rebouchées. Je n'ai jamais su pourquoi.

Notre squat est situé au milieu de l'allée, tandis que la cave de Napoléon est la plus éloignée de l'entrée principale.

Atchoum ! Mon éternuement m'a forcé à ouvrir

les yeux, mes intuitions étaient juste à un détail prêt. La porte de Napoléon, déracinée de ses gongs, gît à plat sur le sol. Je doute que ce soit le travail de mon éternuement auquel, d'ailleurs, personne ne m'a tendu la fameuse politesse du « à tes souhaits ». Si ç'avait été le cas, j'aurais fait un vœu fort de tout mon cœur, que toute cette histoire ne soit qu'un mauvais rêve pour Grézi et ma personne. Utopique est l'espoir d'entendre l'écho de la courtoisie « à tes souhaits ». Pourtant je ne demande pas grand-chose comparé à cette belle au bois dormant, qui, elle, réclamait un bon baiser sur la bouche pour sortir de son coma. Elle s'est fait galocher par un prince charmant, ils se marièrent et eurent beaucoup d'enfants. Et moi comme un pauvre, je ne réclame qu'une piécette de phrase, qui ne m'est même pas accordée. Si ça, ce n'est pas une preuve flagrante de favoritisme, je me demande ce que c'est, mais bref, l'envie me presse.

Je ne sais pas comment la belle au bois dormant faisait pour se retenir, j'avoue là-dessus elle a été hyper-forte : mille ans sans chier, c'est du boulot. Les pains d'épice qui ont terminé la visite de mon appareil digestif semblent impatients de trouver la sortie et ne se gênent pas pour me le faire sentir. Alors, d'un pas décidé je m'apprête à pénétrer dans le territoire de Napoléon pour me vider du super-

flu. Sur l'interrupteur, je sens comme un croustille-
ment sous mon index gauche. Quand l'ampoule
borgne éclaire la cage, je vois la capture, une petite
araignée. Elle n'est pas morte et me regarde avec de
gros yeux, elle ne crie pas. La moiteur de mon doigt
semble l'avoir ventousée, comme prisonnière.

Je me défroque, dans le coin le plus sombre,
libère le pâté, me torche avec ce qui me tombe sous
la main, un morceau de journal qui fait propagande
de la race aryenne, à présent métissé aux couleurs
de mon pain d'épice. L'araignée avec mes gaz a
retrouvé les siens, de gaz, et prend ses pattes à son
cou, pour taper la fuite. La position du Turc est
assez éprouvante, mais très efficace. Une intuition, il
fait nuit à l'extérieur car spiderman du soir, espoir.

La cage de Napoléon est très glauque. L'astre
au milieu du plafond ne m'éclaire guère, sans doute
qu'un nuage de lucioles aurait illuminé de féerie cet
endroit qui n'est pas très hospitalier. Sous l'étoile
défunte, il y a un tabouret sur lequel je me dépose,
avec légèreté, car débourré d'un bronze. Il tour-
niquette sur lui-même, dans le sens inverse des
aiguilles d'une montre. Après de nombreux tour-
billonnements, une envie de gerber me grimpe à la
gorge. Il y a un paquet de temps, je m'étais senti

dans ce même état, après avoir mangé un frites-merguez à Clichy. J'avais chopé une fièvre. Je vomissais des cauchemars, les merguez se transformaient en des dragons vipères qui me mangeaient de l'intérieur. Depuis ce malaise je n'ai jamais plus ingurgité un guez-frites, dire qu'auparavant je pensais avoir un estomac en cuir. Fini le sandwich à l'huile de vidange, je me suis fait un nouveau pote, Ronald le roi du hamburger à la viande english Creutzfeld-Jacob. A chacun les moyens de sa gastronomie. Je respire à bas régime. Je reste figé et n'ose bouger.

A partir du trône tout est à portée de mains, mais elles ont été réquisitionnées pour colmater mes maux de tête. Mes mimines se sont mises à l'ouvrage avec la douceur et le doigté d'une péripatéticienne. Un vrai soulagement ce massage au niveau de mes tympans. Mains prises, je suis dans l'impossibilité de palper les objets qui m'entourent. Alors je les mate, l'œil grand ouvert. A bâbord il y a trois piles de tracts format A4, élevés au même niveau que mes couilles, c'est-à-dire à un mètre de hauteur.

Les slogans sont à la mode et fidèles à Napoléon. En gros, ça donne plus ou moins ça, j'ouvre les flammes nationales : « Tous les pas-Blancs dehors », « Au pays des aveugles le borgne est roi et le con ne vote pas ».

Dommage qu'à la place de ces chiffons il n'y ait

pas eu le *Playboy*, avec ma muse en couverture. Si demain elle faisait une campagne pour la banque du sperme, avec plaisir j'offrirais mes dons à son urne. Julie, elle, a un cœur chaud, je le vois battre à travers le papier glacé lorsque je lui parle d'amour. Je suis content de ne pas être tombé sur elle, ça prouve qu'elle ne me trompe pas avec n'importe qui, de toute façon c'est bien connu, les fachos bandent mou.

Mon mal de cervelle s'atténue. J'ai des doigts en or, contrairement à ma famille. Voyons voir ce qu'il y a à mater à tribord, avec l'œil marron qui m'a vu naître. Elle est ouverte, pleine de vide, l'air est son nouveau locataire, c'est une malle en osier dans laquelle résidaient les pains d'épice. Leur odeur est encore présente. L'expulsion gourmande de Grézi les a relogés dans notre squat, au point de départ, je suis revenu les digérer. Quand on parle du loup, son odeur nous chatouille le bout du nez, la merde a une odeur, qui ne fait pas rire mon odorat. Je n'ai pas d'yeux derrière la tête, mais une mémoire me récite l'ambiance à laquelle je tourne le dos. C'est une surface gonflée de béton armé.

Et je sais de quoi je cause, c'est un mur fait de chaux, de ciment, de plâtre, tous ces liants que mon Daron avait l'habitude de préparer. Il travaillait pour

Jan Brinos Frères Associés, une petite entreprise d'artisans du bâtiment. Quinze ils étaient, mon Daron à lui seul était responsable de cinq compagnons maçons. Ses outils n'étaient pas les plus nobles : une pelle, une pioche et une masse. Rarement la société louait le marteau-piqueur qui lui aurait facilité la tâche. Le Daron était manœuvre, un ouvrier non qualifié. A chaque année qui passait, c'est son état de santé qui trinquait. Son dos ne supportait plus les charges. Et pourtant, malgré la douleur atroce de ses hernies discales, toujours il répondait présent à l'appel du patron.

Pendant les vacances, le Daron m'avait pistonné dans sa boîte pour que je puisse me faire un peu d'oseille ou, disons plutôt, pour que ma paye gonfle sa fiche de salaire. Les compagnons étaient vraiment des bosseurs. Ils n'avaient pas de temps à perdre. Ils étaient tâcherons payés au mètre carré de mur bâti. Le Daron était l'esclave qui souffrait en silence. Il cassait les murs de béton armé en bouffant la poussière. Il piochait le sol, faisant de profondes tranchées et, pour garder le rythme, l'alcool le guidait. Il préparait la gâchée soulevant des sacs de mortier pleins de 50 kilos qui griffaient son corps. Le midi, il faisait le feu pour réchauffer les gamelles. Quand il allait faire les courses, je le voyais, pas même une pièce jaune on lui offrait pour le récompenser. Le soir, il touchait les outils nobles, ceux qui appartenaient aux compagnons, mais seulement pour les nettoyer, les faire briller. Sur le chemin du retour, c'était le bruit du moteur de notre quatre-ailes qui nous faisait la conversation. A la maison, après le repas, Maman faisait bouillir de l'eau salée dans une casserole. De longues heures, les mains de mon père mijotaient, se dégonflaient. Et l'espace d'une nuit, les crevasses que ses paumes avaient récoltées se cicatrisaient. Au bout d'un moment, la corne elle-même ne résistait plus au labeur du taf. Mes doigts sur mes tympans ont perdu leur vertu médicinale.

Je vais m'évanouir, j'ai été trop léger pour jouer au manège avec ce tabouret. Je n'aurais pas dû chier mon césar de bronze. Je commence à voir trouble, c'est pas le moment de devenir aveugle, j'ai encore rien vu de la vie. Jamais une récréation tourbillonnante n'a rendu un homme non voyant. Il n'est pas impossible que la spiderman prisonnière de mon index gauche se soit conduite en traître à mon égard, m'enfonçant son dard, avant de disparaître peinarde au fin fond de sa toile. La confiance c'est une histoire à deux, et là hélas je me suis fait empoisonner. Le venin de la bestiole ne tardera pas à s'acharner à me dégommer les connexions du cerveau pour me rendre ensuite concerné par les gains records du Téléthon au profit des anges sans parole qui nous font si peur lorsqu'ils nous sourient. Hostile à ce devenir, ma garde immunitaire ne laissera pas ce poison m'imposer le mutisme. Nul n'a à régner dans moi.

Je me suis fait une légère incision sur le bout de mon doigt contaminé, une douce morsure d'incisive. De sa profondeur, une gouttelette apparaît. Je la vois floue, elle est rouge universel. Je la siphonne sans vraiment pouvoir la faire disparaître. Elle est, je le sais bien, la pointe de l'iceberg. Je recrache le sang pollué sur le tapis qui la noie aussi sec dans son impérialité. Le goût collé à mon palais est identique à celui de la terre mère. La coagulation s'exécute dès que mon pompage s'arrête. La buée est toujours sur le carreau de mes yeux, mais le flou ne me trouble plus, après tout y a pas grand-chose à mater dans ce cube sombrement borgne.

Le mal de crâne se dissipe, à dire vrai je ne ressens plus d'électrochoc, je préfère réviser qui je suis avant de crier victoire. Une gymnastique sur moi s'impose. Je me connais trop bien pour avoir une défaillance. Si jamais ça devait être le cas, cela voudrait dire le virus commence à me gangrener la cervelle. Mon âge est de vingt et un hivers, je porte un jean 501, un pull bleu, sur mon poignet droit une gourmette en argent avec le prénom d'Hamel, mon défunt petit frangin, j'habite au 12e étage d'une des tours de la cité, je suis au chômage. J'aime bien la vie en général, mais j'aime pas le rap de variétés, qui me parle de bouger de là et qui me dit de me balancer les bras en l'air parce que ma vie est funkie.

J'aime bien les gens sincères qui défendent les causes sociales, j'aime pas SOS Racisme, ils viennent dans nos quartiers uniquement quand c'est primetime sur le dos de nos cadavres qui font de l'audimat. Et enfin j'aime bien les grands frères du quartier qui préfèrent toucher leur RMI plutôt qu'enfiler des rangers pour surveiller des magasins qui n'appartiennent même pas à leurs pères. Je me planque avec mon pote Grézi qui a commis une bêtise à la sortie d'une école.

Mon Daron, lui, est assez dictateur de ses propres joies ou de ses sales peines, mais le temps qu'il passe à observer les étoiles par la fenêtre de la cuisine le trahit sur sa douleur. Hamel a été l'étoile filante de notre famille dispersée depuis. Mon grand brother Aziz ne passe à la maison qu'entre deux coups de queue capotée, d'après ses dires, et essaye de goinfrer Maman de rallonges pécuniaires pour les fins de mois très difficiles. Maman refuse son argent qu'elle dit sale. Au final, c'est moi qui le gaspille. A mon âge, l'argent n'a pas d'odeur. Les parents s'étonnent de mon matériel vestimentaire, ils ne savent pas que c'est l'argent d'Aziz. Je lui ai promis de ne pas moucharder. Moi, j'empoche. J'ai pas le choix, si je veux être à la page du quartier, c'est pas moi qui vends la dope. Je ne donne pas raison au frangin qui survit comme il peut, je préfère garder cette vérité enfouie en moi, la première dose qu'Hamel s'est foutue dans les veines, c'est dans la poche d'Aziz qu'il l'a trouvée.

Sonia ma sister, elle aussi est un vrai numéro. Je sais très bien qu'elle se fait casser par des mangeurs de noix de coco, mais je préfère ne pas trop argumenter avec elle. Je me vois mal lui raconter comment les mecs me chambrent, quand ils la miment à quatre pattes. Pas facile d'avoir une sœur dans une cité. Elle est cool, mais, petit frère, si je me mêlais de ses histoires, elle serait capable de me faire massacrer par ses étalons.

Le courage me manque pour écraser une spiderman qui a tenté de m'empoisonner en cachette, alors foutre une saillie à un étalon, il faudrait que je prenne du poids, ou que j'apprenne à mieux viser les chats de notre jungle, qui servent souvent de

cible quand un lance-pierres traîne pendant le ball-
trap au pied des tours. Une fois j'en ai visé un, il
était pile sur ma ligne de mire, je l'ai raté d'un poil,
tant mieux, c'était le chat de ma sœur. Si par chance
je l'avais eu, il lui resterait encore huit vies, mais un
étalon du bled c'est plus gros qu'un minou sur une
ligne de mort. Qui suis-je, pour franchir ce stade ?
Je ne m'appelle pas Grézi. Nul n'a le droit de donner
la mort, même pas Dieu qui a volé le fils préféré
de Maman ; elle le pleure à chaque fois qu'elle me
voit sourire. Il était bien plus beau que moi, et bien
malgré moi j'ai hérité de son sourire.

J'ai toujours les oreilles bouchées par un trop
lourd silence. J'ai un goût de terre dans la bouche,
mes mains ont cessé de me dolipraner mon mal de
crâne. Ma vue se rétablit à petit feu, le venin s'est
dissipé, mon armée immunitaire a trouvé l'antidote
qui me sort du mutisme. Je me sens mieux, mais ne
trouve pas la force de me mettre à la verticale. Mon
cul reste vissé sur le siège à pivot. Je ne ressens plus
la rosée suinter sur mon front spongieux. A peine je
bouge qu'explosent des gaz de dessous mes aisselles
et d'ailleurs, je pue le fauve. Mes shoes empêchent
le bon fonctionnement de ma circulation sanguine,
je dégrafe mes lacets.

Ma paire de chaussettes aux couleurs du FC Nantes laissent apparaître mes deux orteils qui me visent comme les gros yeux de Kâa le serpent hypnotiseur du *Livre de la jungle*. J'ai souvent porté des chaussettes trouées, mais là c'est mortel. Je comprends maintenant pourquoi j'avais l'impression d'avoir des glaçons à l'intérieur de mes virgules, lorsque le froid s'infiltrait.

Les doigts de pied en éventail j'ai hâte de retrouver ma position d'homo sapiens pour me dévisser de la grotte de Napoléon. Mes aigreurs passagères ne devront jamais franchir le seuil de cette porte, je nierai tout au sujet de mon grand brother dealeur et de ma sœur jument en rut.

Nous avons le même sang dans nos veines, celui de la misère d'un père, mélangé à la tristesse sage de Maman fatiguée par son cœur malade. J'espère pouvoir un jour lui donner le bonheur qu'elle mérite loin de sa cuisine pleine de fourneaux.

Putain, j'y crois pas, ma tête s'est débloquée, une petite révision de rotation gauche-droite, en haut et puis en bas, c'est parfait, je n'ai plus le tourniquet, le torticolis a disparu. Goûtons voir à présent si l'équilibre est également au rendez-vous : un, deux, trois, magnifique, tout vient à point à qui sait attendre. Il ne me reste plus qu'à enfourcher mes baskets pour m'extraire de cet endroit. Plus rapidement qu'une paire de charentaises, j'enfile mes virgules et je m'apprête à disparaître. Mais avant, je mets le tabouret dans la malle de pain d'épice, ça évitera à d'autres personnes de perdre la tête en jouant au manège, secundo je prends de l'élan puis à la manière du bic orange, pour ne pas dire Éric Cantona, je shoote à grands coups de Fuck the racism les trois piles de tracts qui s'envolent en finissant froissés et éparpillés dans toute la pièce. Ça m'a fait grand bien de pouvoir me défouler après tout ce stress accumulé.

Plus rien à faire plus rien à dire si ce n'est le souvenir d'avoir vibré une fois lorsque le local des jeunes occupait les récréations de nos vies, entre un engagement au baby, peut-être un coup de bluff au poker et une négociation des trois bandes au billard. Gipsy, alias le musico-poète, nous rendait visite, les cheveux grisonnants d'un demi-siècle, son visage pâle incrusté de rides en pétard confirmaient ce qu'il était, un homme libre. Docilement il se posait au coin cafétéria et dealait ses poèmes contre des orangeades glacées. Moi, le mien, il me l'a offert après me l'avoir récité, il est encadré dans ma chambre.

> *Une fois qu'il enfile son uniforme,*
> *sa frousse se défile, et il te file une fouille*
> *même sur présentation de tes pièces d'identité,*
> *et le gars lit tes droits qu'il imagine pour toi,*
> *derrière des barreaux parallèles et droits,*
> *et encore là s'est créée gars si on veut,*
> *la haine de la peau lisse de ton visage basané*
> *qui rêve d'égalité.*

Depuis le scellé du local, je ne vois le poète qu'en courant d'air. Gipsy avait acquis une certaine expérience de l'existence et ne s'en vantait que très modestement. Tous n'étions pas toujours partants pour l'écouter car il soûlait très vite. Parfois, je lui offrais un peu de mon temps, l'observant balancer ses souvenirs d'antan. Il disait souvent, chaque instant a attendu son temps, alors pour pondre le poème, une orangeade glacée n'était pas de trop pour speeder son coup de crayon.

Il avait un avis sur tout, possédant même une poussière de science infuse, elle lui gonflait les chevilles, nul n'est parfait. Comme tous les vieillards qui sont jeunes d'esprit, Gipsy cultivait de nombreux vices dont un plus développé que d'autres. C'était chez lui religion : la curiosité. Ses oreilles naïves mitraillaient son enregistreur cérébral de la tchatche baratine que les gars du quartier composaient pour le déstabiliser. Leur second degré pour lui était pigé au sens premier. Il n'était jamais à la page, croyant dur comme fer à ce genre de mitonnage :

– Hier, tu sais quoi, Gipsy, une femme de quarante ans est arrivée dans le quartier, elle a garé sa voiture devant le local des jeunes, une porsche dernier modèle. Elle a demandé après toi, dans le local, on s'est tous focalisés sur son trousseau de clés. Faire un tour dans le bolide nous démangeait. Si elle n'avait été une copine à toi, c'est violemment qu'on lui aurait arraché de sa main toute baguée le trousseau qu'elle tenait. Elle était vraiment bizarre, elle ne nous regardait que sous la ceinture. Ça se voyait bien qu'elle n'était pas claire avec son maquillage de sophistiquée qui la rendait garce. Elle s'est posée au coin cafétéria pour y acheter un Mars amandes.

« Tout s'était arrêté. Elle était l'attraction, léchant la barre chocolatée en fixant Mamadou, qui tenait à pleines mains sa queue de billard. Elle sélectionna cinq d'entre nous, pour leur apprendre à jouer aux fléchettes. Les autres Gremlins furent éliminés, chassés par nous qui étions ses colosses. Elle nous enfila à chacun un préservatif. Même la queue de billard était chaussée, elle se l'introduisit d'abord pour s'échauffer.

« On la baisait comme une chienne enragée, sa main droite tenait une beute, sa main gauche la même chose, sa bouche était en conversation avec une beute, son trou de balle était bouché par une beute, enfin sa poupoune jouait au yoyo, avec une beute de blackos. Quand on a craché, elle a vidé les réservoirs de nos capotes à l'intérieur d'un bocal et à toute lumière elle s'est tirée. Mais avant, elle nous a laissé un message pour toi, Gipsy : *Elle reviendra.*

Il avait cru dur comme fer à ce baratin de cheulou, nous demandant si la femme avait laissé un numéro de téléphone ou une adresse. Parfumé, propre sur lui, le sourire aux lèvres, Gipsy arrivait au local, tôt le matin, et n'en sortait que dans les profondeurs du soir. L'optimiste, le savant fou, il voulait rencontrer la femme de notre histoire imaginaire et se marier avec. Il n'a jamais su qu'il s'était fait carotter.

J'arrête de m'attarder avec hier, même si la nostalgie est belle. Il faut tracer. Je glisse, je vole, je chute droit devant. BOUMMM ! ! ! Je vois les étoiles. Je me suis fracassé contre le mur du couloir au sourire de néon. Maman ! ! ! Noir.

Ron-piche ron-piche ron-piche c'est le refrain du dodo.

Je me regagne, oublie la fugue comateuse dans laquelle m'avait enfoui le carambolage, apparemment j'aurais été dispensé d'un épisode, dans lequel Grézi – qui d'autre ? – me ramasse au fond de l'impasse, les yeux clos comme de véritables culs-desac. Je suis transporté dans ses bras, qui me larguent à l'horizontale sur mon bide creux. Le visage enfoncé dans l'airbag de coussins, en sécurité, je sais où je me trouve, pourtant mes orifices visuels ne sont pas ouverts pour ne pas dire au vert de l'ampoule. Donc pas de suspense, lorsque j'ouvre l'œil qui a bien voulu s'ouvrir pour me faire redécouvrir notre squat toujours fidèle à lui-même. Problème, mon œil droit reste fermé, comme s'il ne trouvait plus le chemin du réveil, le gauche me fait constater que mes sapes sont recouvertes du rouge de mon sang.

Face à face au miroir fixé sur le mur, je fixe la plaie de mon arcade éclatée. Je tripote le cocard, ça ne me fait pas mal, le nerf doit être mort, j'en profite pour écarter l'entaille, elle est assez profonde, l'intérieur est humide mais ne saigne pas. A vue d'œil, trois points de suture semblent être nécessaires pour la clouer. Grézi a dû me passer un bon coup d'éponge pour me nettoyer le visage, qui devait être peint aux couleurs du Moulin de Pigalle. J'arrête de la peloter sinon elle risquerait de me faire hurler, même de s'infecter, un éclat de pierre est responsable de ça, alors si mes doigts pas propres de quelques jours s'amusent à la doigter avec insistance, je risquerais de me choper une gangrène. Ça fait un bail que je ne m'étais vu. Il faudra absolument que j'aille chez le coiffeur, raser ma touffe de veuch à la sosie des Jackson's Five. Je commence à avoir une barbe de taulard. Grézi n'est pas là, dommage, je lui aurais demandé de me prêter le rasoir qui a servi à le scalper. Le Daron avait raison, se faire éclater l'arcade n'est pas un privilège offert qu'aux hommes de la boxe. J'en suis la preuve vivante. Le Daron, lui, a pratiqué le noble art comme il dit, quand il parle de la boxe anglaise. Il était dans les rangs des professionnels, il a tiré dans la catégorie des welters 67 kilos en slip à la pesée ou à poil pour gommer les grammes en trop. J'ai du mal à croire que mon Daron ait pu monter sur un ring pour y combattre, mais Maman nous l'a certifié, même si elle ne l'a jamais vu.

Le Daron ne nous a jamais frappés avec des coups de poing mais toujours avec le cuir de sa ceinture. Il aime de temps en temps raconter sa vie de boxeur dépassée, tentant de reproduire les pas de danse qu'il exécutait sur les rings au temps de ses vingt ans. Ce sport de barbare ne l'a pas arrangé, jeune, fils unique d'une grande famille pleine de cinq filles. Son père ne lui a pas laissé le choix, il fallait absolument qu'elles soient respectées dans sa ville natale, Le Caire, en Égypte. La boxe était réservée aux bandits, et pour rendre ma mauviette de Daron, homme, ils n'hésitaient pas à le droiter. En sang, il rentrait à la casbah. Ma grand-mère suppliait grand-père que le Daron cesse ce sport qui commençait à surcharger les lignes de son visage. Son entraîneur de boxe s'appelait Ben. Lui, était convaincu, le Daron ne serait jamais boxeur car il avait peur des coups, et n'avait aucun punch lorsqu'il frappait le vieux sac SDI rapporté du Mexique.

– Là-bas, petit, lui disait Ben, au Mexique, la boxe est une religion, s'ils te voyaient chatouiller le sac comme tu le chatouilles, crois-moi, tu serais la honte du pays. Puis on te l'a peut-être pas fait savoir, ma salle n'est pas une garderie, alors tu vas commencer à serrer tes poings et ta mâchoire, je veux te voir transpirer, il faut que tu apprennes à te faire mal, sinon fonce prendre ta douche et sors de chez moi.

Sévère comme l'ébène était Ben avec mon paresseux de Daron qui n'avait que quinze ans à l'époque. Personne n'aurait pu croire qu'il se retrouverait, un

septennat de rounds plus tard, au pays du vieux sac
de frappe SDI pour y effectuer son premier combat
professionnel face à un Mexicain à la réputation de
puncheur.

Une fois digéré le décalage horaire, le Daron
et Ben, son entraîneur et confident de toujours, se
sont rendus à la mairie de Mexico où avait lieu tôt
le matin la pesée officielle pour tous les boxeurs
participant au gala. Pas un gramme de trop pour
son adversaire et lui qui se sont serré la main sans
un regard. Ben l'a bien constaté, le mangeur de chili
était très affûté, ses abdos formaient une tablette de
chocolat, ses biceps faisaient le double des miens.
Mais c'est pas ça qui allait lui faire peur au Daron
qui avait déjà fait une quarantaine de combats en
amateur, son palmarès n'était pas mauvais, seulement cinq défaites aux points.

– Les puncheurs ne sont pas les plus dangereux, il faut les gérer, les laisser se défouler et je
me suis entraîné pour gagner. Ce soir sera mon soir,
nous racontait le Daron dans notre cuisine, transformée en théâtre.

Il jouait tous les personnages, se mettant des
coups ou frappant son adversaire, le gros nounours
gagné à la kermesse.

Après une sieste longue, jusqu'au fameux soir du combat, Ben et le Daron se rendirent au gymnase, où allait se dérouler le pugilat. Le ring, comme à la tradition, était installé au milieu des tribunes déjà remplies d'Aztèques.

– Mon adversaire est dans son fief, il faut que ma victoire soit nette si je ne veux pas me faire voler la décision. Dans le vestiaire je me retrouve avec des boxeurs venus d'autres milieux que le mien, ils sont déjà chauds, le visage bien garni de vaseline, l'odeur du vicks qu'ils se sont foutu dans les narines me débouche déjà les miennes. J'espère que le premier combat ne sera pas le mien. A la visite médicale, le médecin m'a annoncé ma tension, 14/5, c'est comme j'aime. Il a, comme le veut le règlement, vérifié si mes doigts, mes dents, mes yeux et mes abdos sont opérationnels, c'est positif. Il faudra que Ben me bande les mains le plus fermement possible afin que mes touches soient sèches, aussi pour lui je vais gagner.

« Quand je suis entré pour la première fois de ma vie dans une salle de boxe, je m'étais fait engueuler, je ne tapais pas assez fort sur ce vieux sac rapporté du Mexique qui est mort depuis.

Le Daron, rajeuni en nous racontant son aventure, capte notre attention qui se fond à 200 % dans sa passion.

– Ben est parti faire son enquête afin de me mettre au courant des points forts et points faibles de mon boxeur. J'ai pu m'en rendre compte, il est plus musclé, on a la même taille, 1 mètre 76 pour 67 kilos, catégorie welter. Le premier combat ne sera pas le mien, mais celui d'un poids moyen, peignoir et paire de gants enfilés. Son entraîneur lui fait répéter quelques enchaînements. La majorité d'entre nous avons nos couilles bien pleines, pas question de coucher avant un combat, sinon il y a risque de finir sur les genoux. Le premier combat est difficile, la salle n'est pas encore chaude de l'euphorie des spectateurs. Pourvu qu'il gagne, c'est important pour lui, mais aussi pour nous autres, ça motivera notre préparation à l'intérieur de ce vestiaire minable, qui portera peut-être chance à nous quatre qui avons été sélectionnés, pour rencontrer sous le champ des trompettes une sélection mexicaine.

« Notre poids moyen vient de sortir, la porte claque. Nous lui avons souhaité bonne chance sans parole, un léger clin d'œil suffit.

« Le speaker fait chauffer le gymnase avec son

charabia. Le plus dur en ce moment, pour le poids moyen, c'est la traversée qu'il doit accomplir pour arriver sur le ring. Les juges doivent l'épier, ainsi que son adversaire qui a déjà conquis le public. Ne pas se déconcentrer, ses hommes de coin sont aux petits soins, un léger massage au niveau de la nuque, des sourires à volonté qui semblent dire : c'est bon, tu vas gagner, c'est ta seule vérité.

« Le speaker vient de laisser sa place à l'arbitre, qui invite les deux boxeurs à monter sur la scène. Les peignoirs viennent de s'envoler, laissant apparaître de vrais corps d'athlètes, qui bougent dans tous les coins du ring, faisant du shadow pour montrer leur différentes palettes de coups. Les semelles laissent sur le tapis des marques de pas, de la couleur du talc dans lequel elles ont baigné pour ne pas glisser, à cause de leurs gouttes d'effort qui tremperont ce carré bleu, mais c'est aussi pour avoir les pieds bien vissés au sol lorsqu'ils balanceront les premiers coups.

« Plus le pied est vissé, plus la rotation sera stable, alors plus violentes seront les dérouillées, c'est bien connu, la puissance vient du sol. Il faudra frapper le premier, par la même occasion le premier qui touchera aura l'avantage psychologique.

« L'arbitre a dû demander aux deux combattants de le rejoindre au centre du ring, exigeant un beau combat et aussi de faire plaisir au public qui remplit de plus en plus les tribunes et le coin buvette où sont servies de fraîches tequilas. Comme dirait Ben, quand tu es sur le ring, rien ne doit être négligé, ta tenue à elle seule brillera plus fort qu'une partouse d'étoiles, tu t'offres en spectacle, c'est toi la star quel que soit ton niveau. N'empêche qu'il nous apprend à tricher, dix rounds de trois minutes c'est long, si on peut abréger, on abrège, c'est sale mais c'est comme ça. Du coup de tête à l'uppercut au niveau des testicules, rien n'est négligé et si tu es fatigué car mal entraîné, cracher ton protège-dents ou accrocher les bras de ton bourreau, tout est bon pour faire passer le temps. Le plus galère, c'est le régime et s'abstenir de gonzesses et celles qui vont défiler en string paillettes sur le ring entre chaque round ne sont pas des mauvais coups. Si le poids moyen fait un bon combat, il pourra peut-être s'en tirer une.

Maman n'aime pas trop entendre cette phase du gala. Elle sait que le Daron a toujours été excité par les strings paillettes pas vraiment adaptés à ses formes trop rondelettes, les shorts qu'elle porte n'excitent guère les fantasmes du paternel.

— L'arbitre vient de leur caresser la coquille, c'est bon, elles sont bien calées. Il réclame un sourire et c'est OK, ils ont tous deux leur protège-dents, le combat peut commencer. Dans mon vestiaire, entendre le premier coup de gong m'a fait frémir et m'a donné une envie de pipi, pas le temps de chercher les toilettes, les douches feront l'affaire. Ne jamais monter sur le ring avec une envie de pisser ou de chier, un bon coup au bide pourrait te forcer la main à abandonner et je n'ai jamais abandonné, j'ai une bonne mâchoire, comme dit Ben, de retour dans le vestiaire avec son légendaire visage joyeux. Après m'avoir offert un baiser sur le front, il m'annonce : le poids moyen est en train de se faire balader, il faut que je chauffe, je suis le troisième combat.

« J'ingurgite quelques figues et dattes du pays, des bonnes vitamines qui me dopent comme j'aime. Ben a sorti son attirail : trousse à pharmacie en cas de pépin et une tribu de grigris qu'il se met autour du cou. Il me demande de me défroquer, pour me passer la pommade chauffante sur les jambes qui ont un jeu de déplacement éprouvant. Sans elles, je ne suis rien qu'une cible fixe, pareil à un punching-ball à la merci des coups.

« En slip, couché sur un banc, Ben immole le côté pile et le côté face de mon corps, avec un massage énergique qui aurait très bien pu s'abstenir de pommade brûlante, le poids moyen doit sans doute attaquer sa seconde partie de combat, plus que cinq rounds pour changer la décision qui prône en sa défaveur. La chair de poule a disparu. Jusqu'au bout de mes ongles, je suis confiant, je vais vaincre. Le massage terminé, j'enfile ma coquille qui s'efface sous mon short tombant à mi-cuisse, sa couleur blanche sera peinte du sang de mon adversaire. Il ne faut pas attraper froid.

« Je m'introduis dans un survêt coton et un pull en laine. Puis, j'exécute quelques mouvements de bras sous le regard de Ben qui commence à me faire l'énumération des défauts de mon boxeur, les qualités qu'il possède, il ne me faudra pas plus de dix secondes pour les lire sur son regard. Ben fouine dans les vestiaires de nos adversaires et c'est toujours de précieuses informations qu'il nous rapporte, il est passionné et il n'a plus toute sa raison en acceptant de nous faire boxer contre n'importe quel boucher, qu'aucune personne de lucide ne voudrait tirer. S'il n'est pas champion du monde comme tout le monde le pressentait, c'est à cause des femmes, il les aime trop et, aujourd'hui encore, il nous préfère sans, c'est un obstacle en moins que lui n'a pas pu franchir.

« Au pays c'est une légende vivante, Monsieur Ben, qui transpire autant que moi, comme si c'était lui qui allait affronter mon boxeur sur ce ring qu'il connaît par cœur pour avoir boxé plus d'une centaine de fois aux quatre coins du monde.

Moi, Yaz, les quatre coins du monde, je ne les ai vus qu'à travers les quatre angles de ma télévision.

– "Travaille le piston du gauche", me répète Ben qui me le certifie, mon direct du gauche suffira largement pour remporter ce combat. Alors je m'affaire, je le triple dans la paume de sa main, qui amortit les impacts ; c'est clair, face à un boxeur qui balance de larges crochets, il faut pistonner et la droite doit suivre derrière comme un réflexe et à force faire mouche. Mais ne jamais penser que l'on peut gagner par K-O, ça déstabilise. S'il doit venir, il viendra, ça ne se provoque pas, ces choses-là. C'est un droitier tant mieux, pas évident d'être face à une fausse patte. Il faudra éviter de tourner sur ma droite pour ne pas me faire cueillir par la sienne. Toujours face à un droitier, tourner sur ta gauche et ne pas oublier qu'il a un bide pour saper ses forces c'est aussi là qu'il faut taper. PAF ! ! ! A cet endroit précis, notre poids moyen a plié son Mexicanos.

Dans la cuisine, le Daron s'applique à frapper sur nounours qui n'a pas l'air de souffrir, les rafales de gauche-droite ne lui font pas sortir les griffes.

– C'est un grand plaisir de goûter au parfum de victoire du poids moyen. Direct dans la douche qu'il se fout sans prendre la peine de se dessaper. Il a persévéré c'est au 8e round qu'il a placé le bon coup lorsqu'il a découvert l'ouverture. Un combat n'est gagné qu'au moment où le dernier coup de gong est donné. Ne jamais desserrer sa fougue avant ce dernier signal. Ben commence à me bander les mains et, par tradition, il commence par la droite. Il lui arrive de lui parler, il l'encourage pour qu'elle soit dévastatrice au contact du menton de l'autre connard et c'est avec un baiser qu'il conclura la cérémonie du bandage. Se faire embrasser les mains par ce monsieur c'est gênant mais ça te dit bien ce qui va se passer là-bas sur le ring, ce sera la guerre, avancer, ne jamais reculer, être le plus méchant entre ces douze cordes qui délimiteront l'aire de l'arène à l'intérieur de laquelle un seul roi pourra y avoir sa place.

Le visage du Daron se crispe à cet instant du récit.

– Le temps est passé à une vitesse folle, le deuxième combat s'est terminé avec la victoire d'un autre camarade de vestiaire qui m'a offert une bise pour me souhaiter bonne chance. Son visage a été tellement martelé qu'à son retour je l'ai à peine reconnu. La porte a reclaqué, plus de marche arrière possible. Une seule voix est audible, celle de Ben. Tous les quolibets que le fair-play public m'envoie ne me pénètrent pas pendant ma traversée sur le chemin du doute qui me rapproche du ring. J'essaye d'être le plus décontracté possible, mais ce n'est qu'une apparence, mon adrénaline est à son apogée. Je sens même la transpiration qui a transformé ma raie du cul en gouttière. J'ai peur. Pourquoi n'ai-je pas fait un autre sport ? Celui-ci ne me rapporte que des coups et de dérisoires primes. Le tirage au sort a voulu que les minutes de repos entre chaque round se passent du côté du coin rouge pour moi, et vert pour mon adversaire. Ben n'arrête pas de me bichonner : "T'as soif ? Ça va ? Bouge, continue à chauffer, attends, je vais t'arranger ton peignoir."

C'est ma grand-mère qui le lui avait confectionné. Il est jaune en satin avec marqué en noir sur son dos Médouare, c'est son prénom. Le Daron en peignoir grimpe sur la table de notre cuisine, ses mollets sont ceux d'un coq bronzé sous UV.

– L'arbitre nous invite à monter sur la scène, mon partenaire commence son show, sa flambe est en or 18 carats, il est masqué d'un regard qui exige l'intimidation.

« Il pousse de fortes inspirations et expirations pendant le déroulement de ses parades contre son adversaire imaginaire, qui n'est nul autre que moi-même. Puis se trouvant bien chaud, il prend le temps de refroidir ses impulsions meurtrières en s'accroupissant dans son coin pour y déposer une prière contre moi, je suppose. Tout ce cinéma pour me confirmer quoi ? lui aussi a peur. Me voici à quelques centimètres de lui. Je l'entends respirer pendant que l'arbitre nous parle, il a pas mal de tatouages sur son torse, dont un que je trouve joli, c'est un serpent à deux têtes. Tous les nœuds susceptibles de se défaire durant le combat ont été renforcés par une bande de scotch, en particulier sur nos chaussures et nos gants noirs. Mon protège-dents est prisonnier de mes mâchoires qui lui lâcheront la pression qu'à la fin du spectacle. L'arbitre a conclu sa cérémonie par : "Que le meilleur gagne." Sa chemise blanche était déjà tachée du sang des autres pauvres qui pour vivre se tapent sur la gueule dans cette discipline si ingrate du noble art.

« Si mon père avait eu de l'argent, je suis sûr qu'il ne m'aurait jamais inscrit dans cette dure école de la vie qui a le mérite de m'avoir fait homme, il faut les avoir bien placées pour oser monter sur ce

ring dans lequel les politesses ne sont que fai-
blesses. Pas d'hypocrisie sur ce carré qui ne laisse
pas de place au faux. Ben me redonne les derniers
conseils avant que l'arbitre n'ordonne le combat :
"Fais-lui mal ! Fais-lui mal !" qu'il me chante.

« A cet instant précis, je suis endoctriné, c'est
comme si j'étais une machine qui allait s'apprêter à
effectuer une tâche pour laquelle on l'a conçue :
vaincre par n'importe quel moyen. La voix de
l'arbitre vient de me mettre en fonction : "Boxez !"
qu'il a crié. Et comme des bolides, on s'écrase l'un
contre l'autre.

Hélas ! le public le condamnera à stopper
dès les premières secondes ce combat. On lui avait
balancé une bouteille fraîchement vidée de son
contenu de tequila. Le projectile lui explosa son
arcade sourcilière : trois points de suture. Ce fut
son premier et dernier combat de boxe pro, d'après
ses dires. C'est tellement facile de raconter par
cœur des histoires, la preuve : moi aussi à force de
l'entendre, je la raconte les doigts dans le nez, pourtant la boxe, je connais pas. Le projectile lui a foutu
un K-O, il ne sentit pas le coup, c'est un énorme
flash qui sembla traverser son corps, lui pompant
toute son énergie hypervitaminée. Il eut l'impres-

sion que sa chute fut aussi rapide que la vitesse de la lumière, pourtant son atterrissage sur le carré bleu fut doux comme la caresse d'un chat sur la joue d'un nourrisson.

La vaseline badigeonnée sur son visage ne put être efficace contre ce coup antidérapant. Quand il revint à lui, sa tête fit un 360 degrés, les sons et les flashes des photographes étaient tout emmêlés. Autour, c'était la joie de son adversaire et du public. Il se releva comme un seul homme quand il prit conscience qu'il avait le cul par terre, déjà trop tard, ça faisait au moins vingt secondes qui s'étaient écoulées. Médouare, mon Daron, ne put retrouver son équilibre, il rechuta cette fois-ci dans un trou noir. Il fut hospitalisé. Le médecin lui interdit de remonter sur un ring s'il voulait garder la vue sauve.

Dans la cuisine, le Daron donne l'accolade au nounours et sort de la pièce tête baissée et, comme à chaque fois, nos applaudissements tenteront de le réconforter sur sa sortie.

Au bled, les gants raccrochés, la blessure ne s'arrangea guère. Pour le guérir, on l'envoya en France dans un centre hospitalier spécialisé dans les cerveaux. Là-bas sa douleur fut récompensée au milliard de milliards. Dans ce lieu il rencontra la femme de sa vie qui faisait les ménages. Il l'épousa sans fanfare et sans youyous. L'amour fait des miracles, réussissant le télescopage entre Maman et le Daron qui sont le jour et la nuit, le chaud et le froid, et souvent le paradis et l'enfer. De ce phénomène hors du temps je suis venu au monde.

Imaginer que Maman et le Daron aient fait l'amour pour me créer me semble impossible. Je suis sûr, la maîtresse d'école n'avait pas bu lorsqu'elle nous disait : les filles naissent dans les roses et les garçons dans les choux-fleurs. Mon Daron à ce jour n'est plus jamais retourné au bled, le voyage coûte trop cher.

A la mort de grand-père, il s'est tapé une cuite, nous a raconté Maman, et pour digérer toutes ces bulles d'alcool c'est contre le ventre de sa femme qu'il se défoula. Elle était enceinte de quatre mois d'Hamel, paix à son âme. Le destin s'acharnait contre lui. Même dans le ventre de Maman, il servait de punching-ball à un boxeur de pacotille qui, je crois, s'était fait éclater la tronche dans une bagarre de bar plutôt que sur un ring de boxe où seuls les gentlemen sont sollicités.

Le musico-poète Gipsy avait rencontré Maman, car je souhaitais la lui présenter pour qu'il lui offre un poème. Quand il la vit, ses yeux brillèrent, il ne dit mot, lui qui avait le verbe si facile. J'étais vexé. Les jours passèrent, je le coinçai pendant un mini-concert qu'il offrait aux papis et mamies.

Je voulais qu'il s'excuse d'avoir eu ce comportement. C'est cash qu'il me remit en place :

— Ta mère, elle est tellement belle que pleurer devant elle était, je crois, le plus beau des poèmes, tu as raison de l'aimer, aime-la, aime-la, elle est tellement elle.

Clic, clac, fait la porte qui se referme sur l'arrivée de Grézi le discret. Il me zoome avec un sourire banane sur sa face de pierre. Il a observé la décoration fleurie faite sur la crosse du féroce qui repose au milieu de la table. Grézi ne dit mot sur la plaie qui est collée tel un pin's sur mon arcade. Sans doute me prend-il pour un cascadeur, inutile de lui expliquer que j'ai glissé sur un de mes mollards peau de banane. Il me rejoint, posant son cul sur la chaise la plus pourrie, la ferrailleuse. Toujours souriant, à ma grande surprise il engage la conversation par une question à laquelle je n'ai pas de réponse. Depuis combien de temps sommes-nous enfoncés dans le bunker du 123 ? J'en sais fichtre rien. Quatre jours, qu'il me dit, en m'expliquant qu'il

n'y a aucun doute. Son corps lui réclame cinq cigarettes toutes les vingt-quatre heures. Quand on
a commencé à hiberner, il lui en restait dans son
paquet non pas dix, non pas cinq, mais bien vingt,
dont la dernière a été récemment consumée par ses
parcomètres de poumons. Conclusion : l'anniversaire. Ce détail ne lui avait pas échappé, dix-huit
piges, ça se fête.

— Ma dernière tige a exaucé mon vœu.

Une superstition veut que lorsqu'on achète
un paquet de cigarettes, un vœu peut être fait à
l'instant où l'on noircit l'une des tiges. Le souhait se
réalisera seulement si celle-ci est fumée la dernière
des dernières. Apparemment, il aurait bien respecté
la notice.

Puis il me tend un black sac plastique ver-
rouillé à triple nœud, je le tâtonne à sa demande
afin de découvrir ce qu'il dissimule. N'ayant pas
des doigts de fakir, je donne ma langue au chat. Je
ne suis pas médium, que je lui dis. Alors ses ongles
acérés éventrent l'estomac du sachet foncé. Tout
joyeux il en sort cinq, dix, quinze, vingt billets de
cinq cents francs, soit dix mille balles qu'il étale sur
la ronde table.

— C'est mon vœu qui s'est exaucé, je vais pouvoir faire une grave fête, et me payer un voyage aux
States.

La voix étouffée par le choc de la surprise :

— T'as eu ça où ?

Les billets n'avaient pas une seule rayure, pas un seul mauvais pli. A croire qu'ils avaient été repassés.

— J'ai fouiné dans une des caves pour trouver de la bouffe et je suis tombé dessus. Sans doute la tune d'un avare, le pauvre. C'est mon cadeau d'anniversaire, Yaz, qu'il me salive avec son accent moins ridicule que celui des guignols de l'info et leur racaille de marionnettes.

J'espère qu'il n'a pas eu la malchance de trouver la tune du vœu de sa cigarette magique à l'intérieur de la cave du sorcier marabout, du 21e étage porte gauche entrez sans frapper SVP. Sans quoi, il est certain qu'une malédiction lui sera spécialement dédicacée comme un coup de lance. Le sorcier marabout sans âge est craint par beaucoup, grâce à ses dons surnaturels. Moi, personnellement, j'en doute un peu, mais à voix basse comme dit Maman, c'est des choses qu'il ne faut pas ébruiter. Cet homme voit tout, entend tout, et j'en passe. C'est une convaincue.

J'ai souvenir de m'être rendu dans son cabinet improvisé dans une des chambres de son appart. Bien sûr, j'étais avec Maman et n'avais que treize ans à l'époque. Sans rendez-vous, nous fûmes accueillis dans son lieu parfumé à l'encens de vanille, je crois. Maman lui expliqua la raison de notre venue, lui offrant du sucre, du lait, et des pommes vertes. Il était impressionnant de calme, ses cheveux étaient le parfait contraste de sa couleur de peau. Il ne parlait pas beaucoup et écoutait énormément. C'était la première fois que je voyais un marabout sorcier. Ça peut paraître cliché de dire qu'il était black africain, mais c'est la vérité vraie. Impossible de mettre un âge sur le cuir de sa peau, il était sans âge, très grand, vêtu d'un boubou orange. Dans sa bouche il mâchait un bâton de réglisse qui devait faire briller l'ivoire de ses dents, du moins je l'imaginais, il ne souriait point. Il écoutait debout face à nous qui, devant sa grandeur, étions comme des nains dans le jardin de sa spiritualité silencieuse, pieds nus, sur un sol nu de moquette à l'égal des murs pas plus vêtus.

Ce jour-là, je n'eus pas l'impression que ce vieux sorcier marabout puisse faire quoi que ce soit pour le problème qui m'habitait, moi et ma bite. Elle était la raison de notre venue. Comme lui racontait Maman, à mon âge déjà bien avancé, je faisais encore pipi au lit. Ce qui me valut d'être rebaptisé par mon Daron « le Pisseur ». Il m'en fallait pas tant pour me soigner dans le mauvais sens du terme.

Les médecins n'ont pas pu faire grand-chose pour moi, leurs cachetons multicolores se gobaient dans les trombes d'eau que mes valves libéraient le soir dans mon sommeil. Maman me confirmait que le meilleur recours pour moi et mon zizi serait celui du soin traditionnel. Le marabout sorcier te délivrera de ton mauvais sort, c'est un vrai guide qui sait redonner à chaque homme intelligence et dignité. Face à face au guide, Maman m'abandonnait avec la bénédiction de celui-ci après avoir réglé à l'avance les honoraires. Il avait toutes les cartes en main, il savait quel était son contrat : qu'on ne me surnomme plus jamais « el Pisseur »…

Il me demanda de le suivre dans son cabinet de consultations, une chambre d'enfant. Toujours sans un mot, il me poussa dans un pouf sur lequel mon cul était invité à siéger. Lui se posa à genoux sur un maigre drap blanc auréolé de taches jaunes. Il me présenta une lame de rasoir qu'il me demanda de serrer entre les dents. Je n'hésitai pas une seconde et mis en application ce qu'il me mima de faire. Je ne lui faisais pas confiance mais comme Maman l'aimait, je ne voulais pas le vexer et, par la même occasion, je ne souhaitais pas qu'il s'imagine que j'étais un trouillard. Ensuite, comme par magie il fit apparaître un œuf frais qu'il coinça à l'intérieur de ma main gauche qui semblait le couver. Toujours son bâton à la bouche, il m'observait. Je me demande ce qu'il pouvait bien penser, si ça se trouve, il se foutait de ma gueule. Mais je ne crois pas, il était bien trop sérieux pour ça.

Les manipulations n'étaient pas encore finies. Il me demanda de lancer six fois une paire de dés enchantés, sans doute, sculptés dans un bois précieux.

Ma main droite tremblante ne fit pas un seul cassé. Il rangea les dés dans leur coffret de carton colorié par des mains d'enfants. Puis, comme si les chiffres obtenus étaient le code de la formule de ma guérison, il prit une plume d'oiseau, d'un aigle peut-être, et sur une ardoise en bois, il commença à écrire au fur et à mesure qu'il chantait la potion magique. Il avait une trop belle voix, je ne comprenais pas son dialecte. Le souffle de son haleine sentait bon la sève de l'arbre qu'il avait mâchouillé. L'encre à l'intérieur de laquelle la plume venait s'engorger avait nécessité beaucoup de dosages méticuleux afin d'obtenir la consistance de ce liquide noir sacré. Il chantait si bien, je me serais tranché la langue pour le suivre dans ses refrains. Mais j'en avais encore besoin. Tous ses secrets avaient été hérités de ses ancêtres, m'avait lancé Maman avant que l'on franchisse le seuil de sa porte avec, je dois dire, beaucoup de précautions. Ce n'est pas très bien vu de se rendre chez un sorcier marabout qui est capable d'exaucer la malédiction autant que sa sœur ennemie, la bénédiction.

Sans me dire quoi que ce soit, il m'envoya une poignée de sel sur le visage, je faillis pousser un cri, de justesse je me taisais, sans quoi je me serais fendu mon moulin à paroles en deux. J'aurais aimé lui poser des questions, avec un rasoir dans la bouche, c'était plutôt risqué. Alors, dans ma tête, je me répondais aux questions que j'aurais aimé lui poser :

— T'as un slip sous ta robe ?

— Non, car j'ai une petite bite, que je lui faisais me répondre.

Je sais, c'est con comme jeu, mais ça me faisait passer le temps.

Une fois les chants terminés, il posa l'ardoise. Je découvris une écriture particulière mais belle. Elle était encore moins lisible que les tags qui squattent les murs du quartier. Pendant qu'il nettoyait le bec de la plume royale, moi, je glandais dans son lieu mystique. Il n'y avait pas grand-chose de fascinant, si ce n'est trois étagères.

Sur la plus haute rangée étaient empilés une bonne dizaine d'ouvrages de sorcier, sur celle du bas une panoplie de plumes toutes plus belles les unes que les autres et qui devaient bien chatouiller.

L'étagère du milieu abritait des bocaux de tous les coloris et une lime à râper une carapace de tortue centenaire déjà bien entamée. De source sûre, la poussière récoltée est, sans contestation, un aphrodisiaque fabuleux. Beaucoup ont dû bénéficier de la recette, vu son état.

A vrai dire, j'en payerais bien le prix mais je suis trop pudique pour me rendre chez le marabout sorcier car, contrairement au médecin officiel, lui n'a pas le souci du secret médical. Maman serait au courant et franchement ça risquerait de me faire débander à vie.

Après avoir nettoyé sa plume, le sorcier marabout prit la boîte, un coffret tout cabossé de rouille, qu'il installa entre nous. A l'aide de la clé qui pendait autour de son cou, il pénétra le trou du squelettique cadenas qui sauta.

Le coffret s'ouvrit comme un bâillement après un profond sommeil et me fit découvrir le trésor : une bouteille de cristal. Après une longue incantation, il sortit de son abîme la bouteille pleine d'eau toute transparente d'impuretés. Elle avait dû être pêchée à Lourdes. Il se noya la bouche, d'une pleine gorgée qui gonfla ses joues de hamster. Sur un morceau de papier blanc vierge d'écriture il cracha, tel un jet de bombe aérosol. A ce moment-là il était totalement métamorphosé, comme en transe. Il coucha le papier humidifié contre l'ardoise et à vue d'œil l'épiderme de la feuille absorba les écritures à la manière d'une photocopieuse. Il m'arracha l'œuf de ma main moite et dans un bocal vide il éclata en omelette mon poussin. Puis à l'intérieur de la matière mollardeuse il me mima de cracher le rasoir. Chose que j'eus plaisir à faire. Enfin, ma langue picorée par la gillette allait pouvoir se délier, mais je préférais me taire. Il commença à plier en tout petits morceaux le papier aux saintes écritures. Une fois fait, il le glissa à l'intérieur d'une poche de cuir qu'il boucla définitivement à l'aide d'un fil et d'une aiguille. Ses yeux globuleux me fixèrent. Il se leva, j'en fis de même, très simplement il m'apprit la nouvelle : j'étais guéri. Il m'enfonça le grigri dans le creux de la main droite et me dit avec insistance de ne jamais me séparer de ce cube de cuir et de ne jamais le montrer à d'autres. Sans même m'accompagner, il me laissa filer.

Arrivés à la maison, Maman voulut voir mon grigri, je refusai catégoriquement en lui expliquant ce que m'avait dit le sorcier marabout de ne jamais le montrer à d'autres yeux que les miens.

Cela m'arrangeait bien. Lorsque je sortis de ma consultation, je tombai sur un copain et, lui expliquant mon aventure, il fut tellement impressionné qu'il m'acheta mon grigri. Comme c'était un bouffon, j'acceptai la pigeonnade en échange d'un petit pactole.

Un an plus tard, je ne pissais plus au lit. Alors j'ai peut-être été vite en besogne en pensant que Grézi aurait une malédiction s'il a fouiné dans la cave du marabout sorcier du 21ᵉ étage porte gauche entrez sans frapper SVP. De toute façon, dans ce domaine, il a été vacciné, il est même tombé dedans quand il était tout petit. Grézi, c'est l'Obélix de la poisse.

— Aïe ! Pourquoi tu m'as pincé comme ça, Grézi, tu crois pas que j'ai reçu assez de coups ?

— Excuse-moi, Yaz, mais je te parle et tu ne me réponds jamais. Es-tu bien sûr que ton mal de tête s'est dissipé ? Dans le cas contraire, je ne vois aucun problème à ce que tu dormes quelques heures.

La même réplique sans décodeur :

— Scuse ouam. J'te l'épare depuis l'heure touta et tisgra tu me mets dans le enve. T'es sûr que ça va ieum dans ta chetron Yaz ? Y a pas de blème sinon j'te laisse mirdor.

— C'est gentil à toi de prendre soin de mon sommeil, Grézi, mais vraiment j'ai pas sommeil.

— OK, si tu penses ne pas avoir besoin de dormir, sache que je respecte ton choix. As-tu soif ?

— Ouais, pourquoi pas.

Il me tend un bidon plastique à moitié plein. Comme l'ampoule crache dans notre squat une verte lumière, j'ai pensé : c'est de la menthe, mais le liquide a un goût de sirop de fraise. Comme je n'ai rien contre les fraises, c'est une big gorgée que j'engloutis. Ça m'a fait grand bien, j'avais la bouche toute pâteuse et la gorge aride comme le désert d'Arizona. Un rot de joie s'échappe de mon estomac qui a perdu l'habitude d'un bon repas ou d'une simple visite gastronomique. Merci, Grézi. J'avais oublié à quel point c'était bandant de se remplir le ventre. Comme il reste encore une gorgée au fond de la petite bouteille, je propose à Grézi de la terminer. Il refuse radicalement. C'est pour toi, qu'il me dit. Sans broncher, je siphonne le reste.

Je ne sais pour quelle raison je vois le Grézi me faire un grand sourire, et je ne sais pas pourquoi je commence à voir double, et je ne sais pas pourquoi je sens mes paupières devenir lourdes comme la tour 123, et je ne sais pas pourquoi je me sens chuter comme si sur un ring je m'étais ramassé une féroce droite qui me met K-O. Le Grézi, l'enculé, ne tente pas de me retenir. Un paf, bim bam da boum nucléaire fait ma tête sur le bâtard de sol qui me nique toutes mes connexions. Ron-piche, ron-piche, ron-piche ! ! !

Plus tard, disons quelques mois plus loin. Il était une fois une bonne poire qui avait une capacité folle à avaler tous les bobards de son entourage : il s'appelait Yaz. Ce jeune homme, donc, eut la malchance de répondre présent au SOS que lui lança un jour un Gremlin du quartier se nommant Grézi, alias le caméléon. Être trop bon c'est être trop con, je décidai de faire un pacte moral avec cet animal. Grézi s'engageait à me raconter les aventures du quartier et moi je m'engageais à l'écouter avec la pointe de mon stylo, ainsi que m'enterrer durant quatre jours dans les entrailles de la tour 123. La conclusion devait être la suivante : quatre lunes plus tard, Grézi devait se rendre à la justice pour payer le prix de sa bêtise avec une majorité fêtée selon ses souhaits, en liberté. Tandis que moi, je devais ressortir du bunker 123 avec un livre plein d'histoires de l'univers du quartier d'où je m'étais effacé. Ce jour-là, j'étais loin de m'imaginer que la réalité me préparait un tout autre scénario loin d'être à l'eau de rose.

A mon insu, je fus séquestré, trompé, trahi, torturé et presque mort, empoisonné par un sirop de fraise blindé de produit vaisselle mélangé à de grosses gouttes de somnifère. J'avais été kidnappé au premier vrai sens du terme. Grézi a menti gros comme un camion : il n'avait pas plus tué Pierre, Paul que Jacques. J'avais été son otage et par la même occasion sa poule aux œufs d'or car après avoir réussi à avoir le beur il ne se priva pas à taxer l'argent du beurre. La liasse des dix mille balles dans laquelle il noyait son regard, c'était la rançon que ma famille lui remit, d'une façon assez folle. Il avait réussi à connaître l'emploi du temps de Mimi, le chat de ma sœur. Son enquête minutieuse lui fit découvrir chez quelle chatte de gouttière il allait se faire bichonner tous les soirs. C'est donc Mimi qui allait servir de parfait convoyeur. Impossible à pister la nuit. La rançon solidement pendue autour de son cou allait félinement de l'expéditeur au receveur qui la pêchait avant que Mimi n'aille commettre son péché câlin.

Maintenant, tout est revenu à la normale. Le cul posé sur l'un des bancs qui orne le quartier, je regarde le temps passer. Ce matin je me suis évadé de mon lit avant que le Daron ne me surprenne dans mon sommeil. Il me faut absolument trouver un job. J'ai postulé pour un emploi de manutentionnaire. Si c'est positif, je pourrai même avoir l'opportunité de passer mon permis de cariste. A cette période de l'année le soleil est encore enrhumé. Février se termine, tandis que mars attaque son débarquement avec, dans ses bagages, l'arrivée du printemps. Il doit être dans les coups de dix heures du mat car le facteur fait sa tournée des tours.

Si ça se trouve, il vient d'engrosser ma boîte aux lettres d'une réponse favorable en ce qui concerne le taf de manutentionnaire. N'ayant pas les clés de la boîte, c'est avec une fine baguette de bois que j'essaye de pêcher le courrier qui me semble lourd. Très concentré sur la meilleure façon de sortir le pli, trop concentré peut-être aussi, les doigts trop courts, rien à faire, l'agilité me manque tandis que les nerfs me montent, et c'est avec un coup de poing que je démonte la porte d'accès qui claque fort comme un battement d'ailes d'hirondelle. J'ai pas mal perdu de mon calme légendaire.

Des entrailles de la boîte, je sors une grosse enveloppe qui, à ma grande satisfaction, m'est destinée. Cela m'étonnerait que ce soit la réponse que j'attends. Tranquillement, je m'assieds sur les marches de l'escalier après avoir pris auparavant la précaution d'y poser une fine pellicule de feuilles de prospectus afin de ne pas salir mon jean tout propre lavé de la veille. L'écriture est belle mais pas d'empreintes sur l'expéditeur, ça doit être une personne qui m'aime, il y a marqué Monsieur Yazad, pour qu'on m'appelle Monsieur ça ne peut être qu'une personne qui m'aime. Dans le quartier, jamais personne ne m'a offert le plaisir de me dire Monsieur.

Par contre, au centre hospitalier des Monsieur Yazad par rafales, je les ai vus sortir des bouches. Les infirmières, les aides-soignants et les médecins étaient très respectueux de ma personne. Inconscient à l'arrivée aux urgences, sauvé in extremis de la cave 123, on m'enfonça un tuyau qui pompa la nappe polluée absorbée par mes big gorgées. L'estomac torché et lustré pendant deux jours, j'allais être examiné sous toutes les coutures. Cinq points de suture pour l'arcade éclatée contre l'angle d'un mur que j'avais embrassé non pas à cause de l'un de mes mollards peau de banane comme je le pensais, mais plutôt grâce à l'aide d'un traître croche-patte de Grézi.

Tout était faussé, manigancé. Le fusil à canon scié que Grézi avait dérobé ne crachait pas de bastos, mais des fléchettes capables de faire rêver un diplodocus chez un vétérinaire. Il le vola, le serra, le tira. A chaque fois que ça l'arrangeait, il m'en plantait une dans le derrière et à la vitesse de la lumière chez

Morphée le ron-piche du dodo allait chanter. L'armurerie de Napoléon ne s'était pas fait visiter. Grézi est passé aux aveux. Je suis au courant de sa trahison. Son père n'avait jamais été interpellé par les keufs de la police nationale comme son walkman l'avait soi-disant bavé. Encore du baratin stratégique.

Pendant l'hibernation, Maman s'usa. Si Grézi m'avait effacé, Maman se serait éteinte. Elle ne déprogramme pas ses habitudes. Le soir, elle me borde, m'appelle Hamel et embrasse mon front d'un bisou sec qui me déchire en deux.

Le come-back dans le quartier n'excita pas les foules. Mon fait divers ne fera pas tache. Le téléphone arabe a snobé l'événement, lui qui habituellement répand les mauvaises rumeurs jusqu'aux oreilles du bon Dieu qui officialise. Un article dans le journal communal aurait été une compensation raisonnable. Hélas, le maire préfère communiquer ses projets à son électorat. Primo : la participation de la ville au concours « La ville fleurie » ; secundo : la construction d'une troisième maison de retraités, dans l'urne, leurs bulletins sont précieux ; et enfin tertio : son nouveau plan répressif contre l'insécurité, un fidèle cheval de campagne. J'ai épinglé les scoops communaux au-dessus du lit, souvenir ironique. Ma crédibilité demeure pour toujours inexistante. Pour preuve, Gipsy le musico-poète m'a mis

sur off et a chantonné que j'étais malade, complètement malade. J'ai commis la sottise de lui murmu-
rer que Grézi m'a pris en otage dans la cave du 123.
Hormis ma family, personne n'aura été perturbé par
cette tragédie. Je ne suis qu'une victime parmi
d'autres. Je vais pas me la raconter pleureuse, mais
j'ai eu la malchance d'être chié dans un environne-
ment qui laisse la part belle aux violences. L'État
lui-même nous a mis une croix dessus afin que les
loups sans principes puissent nous croquer sans sel.

Dans la jungle du quartier, la rapacité des
Gremlins a encore frappé. La remorque qui abritait
notre bureau sur le parking a été dévalisée, puis
cramée. La fourrière cette fois-ci l'a délocalisée.
Marre de subir, j'ai remonté mes manches, le dos
rond et les poings castagneurs, je suis parti à la
rencontre des jaloux. Ils n'apprécient guère le culot
de mes accusations. Les Gremlins nient en bloc, et
l'espace d'un instant ils lâchent les murs pour m'en-
cercler. La mort dans toute sa splendeur je l'ai bai-
sée, ce n'est pas les clones de Grézi qui vont m'inti-
mider. Ils me dicavent, me matent, me regardent,
l'œil serré. J'ai la plus belle, la plus fraîche et la plus
grande des cicatrices sur ma gueule. Maintenant, je
peux me la jouer caillera. Ils me balancent chacun
leur alibi. Ils sont innocents à l'unanimité. Le pyro-
mane ne sera donc jamais démasqué. Après m'être

détaché du pacte des Gremlins, je continue ma remise en jambes dans le quartier. Des remontées d'acide me font faire la grimace. Le poison javellisé de Grézi m'a coltiné des ulcères. La fraîcheur du goût de fraise est passée mais ils sont restés. Les malox plâtrent ma douleur. Dans le secteur, les enfants jouent aux billes, c'est la saison, d'autres jouent à trouver des trèfles à quatre feuilles sur la moquette chlorophylisée. Au loin j'entends le son immuable des motocross qui tracent sur les terrains de foot des sillons stériles.

Je ne me retourne jamais au sifflement, et là une fois n'est pas coutume. C'est Napoléon, toujours aussi violacé. Il me serre la main. C'est tout mou.

Il parle :

— Triste jeunesse ! En arriver là ! Votre papa m'a raconté.

Le Daron nous fait sans cesse la morale, ne pas mélanger les torchons et les serviettes, et voilà qu'il raconte nos malheurs à l'étranger. Il a toujours été fasciné par l'ex-profession de Napoléon, maître d'école. Fier il est de côtoyer la culture du savoir au plus raffiné du terme. Lire et écrire, un rêve inaccessible.

Le Daron dit « Maître » lorsqu'il s'adresse à la

personne de Napoléon. Ça me gêne. J'ai la honte quand il se rabaisse comme un suce-boule. Les rares fois où le Daron a mis ses pieds à l'école, ce fut avec sa société Jan Brinos Frères Associés qui le transforma en Mister Clean des coups d'éponge sur les plafonds saccagés par les graffitis aux jets de karcher pour faire déguerpir les fromages camembert, les crachats, la purée, etc. Face au Daron, Napoléon retrouve une émotion de colonisateur sortant des mots que même le dictionnaire a du mal à saisir. Le Daron l'écoute et acquiesce des oui de la tête. Il n'ose participer à la conversation qui le dépasse. Alors il reste en admiration devant son maître. A l'époque, je me bagarrais avec mes professeurs, je leur manquais de respect, résultat des courses, le Daron m'interdisait de remettre mon cartable dans les cours de recréation, allant jusqu'à surveiller les sorties des classes. Gare à moi s'il m'y chopait. L'école buissonnière, contrairement à d'autres, mon Daron me l'a imposée. Quand il me trouve avec un stylo, il me traite de bourricot. Il a rigolé quand je lui ai confessé mon projet d'« écrire un livre ». Il a dit des mots dans sa langue que je ne comprends pas. Je suppose que ça devait être des moqueries. Faudrait que j'apprenne à parler le dialecte de mes ancêtres pour pouvoir lui répliquer qu'il devrait me soutenir plutôt que toujours m'enfoncer. Je ne suis pas un toxico mais mes poings aussi peuvent traverser les feuilles cristallisées. J'eus un moment d'arrêt cardiaque, Napoléon voulait-il devenir mon ami ?

– Je vous propose d'avoir un véritable ami.

– Comment ça, un véritable ami ?

Il sortit de sa gibecière une boule marron, un bébé chien que Féfène avait mis au monde. Napoléon m'en repassait une couche.

– C'est un compagnon fidèle, il est vacciné, tenez, c'est son carnet de santé.

Le chiot était violemment mignon, étouffé par les paluches de Napoléon, sa langue déroulée au double de sa taille, il lâcha un pet puis une crotte toute liquide. Napoléon se mit en rogne. Depuis le décès de « Mimi le chat », plus aucune peluche à poil n'est autorisée à mettre la patte à la casbah. J'aurais tant aimé saisir l'opportunité, mais je n'allais pas désobéir au règlement intérieur. Napoléon s'en alla. « Mimi le chat » convoyeur s'était fait braquer par Grézi. Une seule fléchette aura suffi à lui racketter ses neuf vies. Sonia, ma sister, l'a fait empailler. Dans sa tête, c'est Yaz, l'assassin du félin. La garce, y a erreur. C'était Grézi le prédateur. Elle n'a pas été réglo. Elle a passé au bûcher toutes les muses de ma collection de *Playboy*. Julie aussi fut défenestrée, le feu au cul, du 12e étage elle s'est envolée en fumée. Depuis mon retour de l'hosto, au réveil, je n'ai plus le barreau et pourtant je me remémore son image dans ses moindres détails. Je pense qu'il va devenir nécessaire que j'aille rendre visite au docteur sorcier marabout du 21e étage porte gauche entrez sans frapper SVP. Il me concoctera un aphrodisiaque qui réveillera mon sexe ramolli de l'aube au coucher du soleil. Je le payerai au prix fort pour qu'il respecte le serment d'Hippocrate. Mes soucis mécaniques, ça me regarde. Ma virilité d'homme, où est-elle passée, Julie l'aurait-elle emportée dans sa chute ?

Maman et le Daron se sont fâchés avec Sonia, ils n'aiment pas le goût de la taxidermie. Les morts, c'est sous terre qu'ils doivent pourrir. Un poil s'est infiltré dans l'organisme d'Aziz le grand brother qui a repris les commandes de la chambre. Il s'est fait plaquer et donc n'a plus aucune rentrée d'argent. Il n'arrête pas de me culpabiliser. C'est son argent que Grézi a empoché. Aziz depuis son allergie a perdu beaucoup de ses muscles et squatte son plumard 24/24. Le Daron a foutu « Mimi le chat » dans un sac étanche et plouff…!!! dans le fleuve qui a comme terminus la mer, il l'a balancé.

La sister haineuse a élevé la voix contre le Daron. Elle a fait sortir de sa bouche des mots saccageurs d'orgueil. Il l'a giflée, telle une tigresse elle l'a griffé. Maman a saigné. Encore une bataille qui sera difficilement cicatrisable. Le brother aussi assista à la scène mais il ne broncha point. Son allergie l'a beaucoup diminué et toutes les protéines qu'il s'enfile ne le stabilisent pas plus. Il paraîtrait que la sister fugueuse travaillerait comme caissière dans une supérette. De temps à autre elle bigophone à Maman qui en cachette garde le contact. Si le Daron se trouve à proximité du combiné quand ça sonne, c'est toujours Maman qui le décroche de justesse. Il la questionne : « C'est qui ? » Sans perdre son sang-froid, elle répond : « C'est une copine. » Encore un mensonge. Elle amasse les secrets qui font de son cœur un véritable coffre-fort. La sister a provoqué un malaise affectif chez les étalons. Ils essayent de négocier son retour en me proposant de l'argent. C'est une chouette fille qu'ils me disent, rêveurs. Sans gêne, ils me parlent des qualités de son corps ferme, de ses fesses voluptueuses serties de grains de beauté, de ses doigts agiles, caresseurs de torses et j'en passe. Je la sais mieux loin d'eux.

Un jour prochain moi aussi je dégagerai de cette cité aux couleurs bonbons. Du courage il me faudra pour affronter le monde extérieur. Les cocons des caves, halls d'immeubles et cages d'escaliers me sont devenus hostiles. Je profite de cet instant paisible. J'ouvre avec méfiance le courrier. La grosse enveloppe contient deux manuscrits, l'un est jaune, l'autre, blanc. Je commencerai par le blanc.

Salut Yaz,

Il n'est pas impossible que tu abandonnes ta lecture lorsque tu sauras qui est derrière cette écriture. Alors avant de me dévoiler, je préfère te présenter mes sincères excuses, pour le coup de pute que je t'ai fait. Maintenant je crois que tu n'es pas aveugle, tu as bien deviné, c'est Grézi qui t'écrit du trou. Je te rassure, si tu continues à me lire, la prison ne m'a pas rendu plus intellectuel qu'autrefois.

C'est mon pote de cellule qui écrit ce que je lui dicte avec le moins de verlan possible pour que tu puisses comprendre le sens profond de toutes mes phrases.

Ça va faire deux mois que j'apprends à vivre dans cette zonzon. Je suis au courant, tu n'as pas porté plainte, mais mon avocat commis d'office n'a rien pu faire pour minimiser ma peine. Le procureur m'a enfoncé. J'ai pris deux piges fermes. Tu sais, tu as eu beaucoup de chance que les RG aient mis ton téléphone sur écoute pour essayer de serrer ton grand frère qui pour eux serait le grossiste du quartier, sans quoi tu aurais goûté à la mort. Ton frère étant blanc comme neige, ils sont sortis de l'ombre avec des kilomètres de bande magnétique qui me grillent en train de négocier ta rançon avec tes parents. A peine mon pied avait-il franchi l'extérieur du quartier que je me faisais embarquer par les inspecteurs, qui étaient sans renfort de GIGN sans quoi j'aurais été troué. Tes parents auraient attendu longtemps avant que je leur dise où tu te trouvais. J'avais déjà acheté un billet d'avion pour les States. C'est sûr, j'ai été un vrai salaud, mais aujourd'hui je paye entre quatre murs toute la méchanceté que je t'ai fait subir dans la cave du 123.

Après quarante-huit heures passées en garde à vue, j'ai tout avoué à ces rapaces de keufs qui à coups de pied et de poing m'ont peint la gueule d'un bleu hématomé. J'aurais préféré me prendre des coups de bottin comme dans les films. Ils m'ont à peine laissé dormir dans cette garde à vue qui puait la pisse et la moisissure de crachats.

Pour faire passer le temps je me suis mis à lire toutes les dédicaces que d'autres avaient gravées sur les murs et sur les bancs scellés dans la matière. J'y ai même installé mes initiales avec un riquiqui morceau de carrelage que j'ai dégrafé du sol. Les bâtards, ils ne m'ont même pas laissé laver mes doigts pour manger leur sandwich fromage, au pain mou comme du caoutchouc. Après, j'avais comme un goût d'encre dans la bouche. Pour les empreintes, ils m'ont carrément baigné les doigts dans un pot d'encre noire. C'est bizarre, j'ai très rarement fait des photos, et là pour mon casier ils m'en ont tiré toute une panoplie avec une ardoise qui indiquait qui je suis, le numéro 51709 RN 731, profil gauche flash, profil droit flash et de face flash. Le flic pour se foutre de ma gueule m'a demandé de sourire, mais je ne lui ai pas offert ce plaisir.

Tu sais, lorsqu'ils m'ont foutu en garde à vue, ils m'ont fait retirer ma bagouze en ro, mes lacets et mon cordon de survêt, soi-disant c'était pour me dissuader de me pendre.

Ça m'a fait rire, j'aime trop la vie pour leur faire ce cadeau, mais privé de liberté c'est être mort aussi. Ils m'ont suicidé à retardement en m'enfermant dans cette taule qui est vraiment l'école du crime et du vice. J'ai rien à voir avec ces bandits. Je ne suis qu'un lascar qui a été trop influencé par la réputation des grands frères du quartier. Dans ma cellule, je sais, le mal appelle le mal. Moi qui croyais faire partie d'une famille dans le quartier, je me suis vite rendu compte je me trompais. Y a pas un mec de la cité qui m'a envoyé un mandat ou ne serait-ce qu'une lettre. Tu ne peux pas savoir la joie que tu ressens lorsque tu reçois un courrier. C'est la preuve que tu n'es pas vraiment mort, que tu existes encore.

Après les quarante-huit heures de garde à vue, j'ai été transféré direct au tribunal. Il m'ont fait galérer dans une autre cage en attendant d'être face à mes juges qui sans pitié allaient m'en foutre pour vingt-quatre mois. Bizarre, même dans cette cage qui était équipée de toilettes turques qui sentaient l'odeur de caca nerveux, j'ai encore trouvé le moyen de graver mes initiales sur le mur. Grâce à une allumette que je trempais dans la merde, ça leur donnait un relief qui les rendait plus voyantes que les autres inscriptions de détresse.

Pris du recul sur l'endroit dans lequel j'étais, pris du recul sur moi et là j'ai vu je n'étais plus un enfant et encore moins un homme. Ils étaient en train de faire de moi un animal. Je te le dis à toi, j'ai pleuré pour ne plus jamais verser une larme, je me suis juré de ne plus jamais prendre de recul. Dans ma cage aux toilettes turques pour tuer le temps et l'angoisse j'ai fait trois kilomètres de cent pas et quelques pompes.

Je puais, tu peux pas savoir, mon tee-shirt après mes exercices physiques était trempé de cette transpiration qui ne m'a jamais fait gagner un bout de pain. A ma sortie, je trouverai un bon travail et je te rembourserai l'argent claqué dans la rançon de ce kidnapping à la con. Après avoir été jugés comme du bétail, on nous a chassés du dépôt à l'intérieur d'un fourgon cellulaire, destination : la maison d'arrêt. Comme si nous étions des terroristes, les sirènes criaient de tout leur souffle, les gyrophares éclairaient la nuit, les feux tous grillés par le fourgon et son escorte.

C'est beau la nuit, j'aurais aimé que le chemin soit plus long. Pour la première fois je regardais le ciel, et les étoiles qui défilaient à mille à l'heure dans un rythme de son métallique et grincements de pneus. Ce soir-là j'ai fait un vœu, malgré l'absence d'étoiles filantes, le vœu d'être un homme. Dans le car à bétail j'étais empoigné par cette salope de paire de menottes. Impossible de me gratter le pif ou les couilles après qu'un moustique m'a tranquillement piqué mon sang. Franchi toutes les murailles de la forteresse, le fourgon s'arrêta au cœur de la zonzon. Welcome, nous a crié un gardien qui nous a ouvert les portes de nos minuscules cages métalliques aux couleurs fades. Enfin nos bracelets allaient nous être retirés à moi et aux autres arrivants. Certains d'entre nous connaissaient déjà l'univers carcéral, les récidivistes, d'autres comme moi étions des primaires.

Franchement la prison, il faut y mettre les pieds pour pouvoir comprendre ce cauchemar éveillé. A mon arrivée on m'a encore pris en photo avec une autre ardoise et un autre numéro, celui de mon écrou : le 286 743 H. Ne jamais m'en séparer, m'a dit le maton chef. Dessus il y a marqué : nom, prénom, religion, date de naissance et mon surnom Grézi. Il y a aussi mes empreintes digitales. La carte de détenu est bleu clair et plastifiée. La photo en noir et blanc est réussie. Dessus, on le voit bien, mon âme est restée à l'extérieur.

Après toute la paperasse, on nous a mis en quarantaine dans des cellules. J'allais pouvoir goûter au plaisir d'un lit. Tout seul dans ma cellule, avec mon paquetage, deux draps, une couverture, une cuillère grosse et une petite, une fourchette, deux rasoirs et sa mousse, un bol, une assiette, une serviette, un savon, papier cul et j'en passe, un matelas qu'il a fallu choisir rapidement et qui ont tous plus ou moins de grosses taches de pisse, de sang et de sperme. La première fois que tu regardes le ciel derrière des barreaux, ça fait mal mais désormais, je suis rodé.

Le soir de mon arrivée, j'ai bien dormi. Éveillé depuis soixante et une heures au moins, j'avais pris une bonne douche obligatoire. A poil, sous le regard vicelard de certains matons qui chronométraient la durée, pas plus de deux minutes par corps. Pendant les quarante-huit heures de ma quarantaine, je fus levé tôt le matin par un prisonnier en bleu de travail, suivi à la culotte par un maton.

A sa demande je présentai mon bol, il le remplit de deux louches d'eau chaude, puis il me donna un sachet de poudre de lait, deux sachets de sucre en poudre, un sachet de ricorée en poudre, un petit pain bâtard rempli de mie et un cube de beurre.

Après avoir englouti cet inventaire, le maton est venu me sortir de mes songes pour me présenter au directeur de la prison qui a été direct :

– Tu respectes les règles, et nous on te respecte.

Pour continuer les présentations j'ai été voir le psychiatre qui m'a souri, puis une psychologue qui m'a regardé dans les yeux et m'a demandé si j'avais bien dormi :

– Oui, que je lui ai répondu.

Elle était vieille mais je savais que dans cet univers de mâles elle devait être considérée comme l'idéal féminin malgré ses vieux seins tout ridés comme des poires déshydratées.

Le jour suivant, après avoir mangé à midi un déjeuner servi toujours par le même prisonnier de bleu vêtu suivi du même maton au regard banal, qui semblait être plus prisonnier que le prisonnier, ils me présentèrent trois barquettes en plastique recouvertes de cellophane. Dans l'une il y avait des patatas à l'eau, dans l'autre du poisson pané à l'eau, enfin dans la troisième une pâtisserie. Après avoir tout dévoré un maton est venu me chercher pour me présenter à un éducateur qui m'a offert deux enveloppes, deux timbres, et un bic pour écrire à ma famille.

Ensuite on m'a mené à l'infirmerie pour un examen général. Le pire, la prise de sang, j'ai horreur des piqûres, mais on m'a prévenu si je refusais de me plier à ce passage obligatoire, je risquais d'aller au mitard. Le mitard ici, c'est considéré comme étant le trou du cul de la zonzon. Lever, 7 heures, coucher à poil sur un lit en béton sans couverture. Interdiction de recevoir son courrier. Demi-ration, pas de promenade en groupe, et les matons te frappent selon leur humeur. J'ai subi sans broncher la prise de sang, mais je ne saurai jamais ce qu'elle révèle. On nous a dit que ça nous regarde pas, « c'est un secret médical ». Si ça se trouve j'ai le sida et je ne le sais même pas.

Dans le bureau du médecin il y avait des préservatifs qui ne servent pas qu'à faire des ballons ou des bombes à eau, si tu comprends ce que je veux dire.

Fin de quarantaine, j'allais être intégré dans une cellule dans le quartier jeune. Même ici on parle en quartiers. La prison en possède trois. Le grand quartier où il y a que des papas, le quartier jeune où il y a que des racailles, et le quartier mineur où il y a que des Gremlins. Franchement, je suis content d'être majeur. Dans le quartier des mineurs, il n'y a que des bagarres et des mises à l'amende, quand tu ne sais pas te défendre, tu deviens vite maqué. En fait, c'est dans tous les quartiers pareil, c'est la jungle, donc la loi du plus fort.

Traversé plusieurs ailes, je suis au quartier jeune, mon quartier. Un nouveau gardien me prend en charge et me refait la leçon : « Au pas sur la ligne jaune tracée sur le sol, gare à toi si tu marches de travers. » Avec mon paquetage sur le dos, je vois des yeux qui m'observent à travers des œilletons qui n'ont plus de caches. Certains mecs me crient :

– Protège ton petit cul, connard !

Je ne bronche pas. Le gardien me souhaite bonne chance avant d'ouvrir la porte de ma première cellule dans laquelle deux mecs d'une vingtaine d'années me regardent d'un regard plus froid que froid. Dans la cité on m'a souvent dit que j'étais une masse, mais face aux deux gorilles de cette cellule je ne suis qu'un moustique en manque de biceps, il ne me laissent même pas entrer dans leur cellule, pour ne pas dire dans leur appart. Leur univers est très classique. Une télé couleur branchée sur le câble, un poste laser, des posters de cul accrochés sur les quatre murs, un bureau avec plus de stylos qu'un bachelier pourrait en rêver. Les toilettes sont très proprement mises à l'écart grâce à un rideau spécialement conçu pour cela, à condition d'avoir assez d'argent dans son pécule pour pouvoir le cantiner.

Après que le gardien leur a mis la pression, ils acceptent que je m'installe dans leur univers. La porte claquée à double tour, le plus vieux des gorilles qui avait les plus méchants nerfs me demande de faire un drapeau avec une feuille à cantiner, bouche bée j'avais pigé que dalle, ils comprirent de suite j'étais un primaire. L'autre gorille était furieusement à l'opposé de son compagnon de cellule. La preuve, il se leva de son lit, baissa le son de la TV qui diffusait des clips, puis il fit passer une feuille à travers la porte, énergiquement cogna la lourde en cinq cinq, pour le surveillant. Le drapeau jouait le clignotant et les coups le klaxon.

Le gardien de retour, j'observai qu'il n'était guère plus vieux que les deux lascars de la cellule. Le méchant gorille commença à dire que je désirais changer de cellule. Il inventa une histoire dont je n'ai pas souvenir, en gros je ne voulais plus rester dans leur cellule. Le maton me regarda et me demanda de confirmer, je confirmais, je pense que je n'avais pas trop le choix alors il me proposa de faire un B zéro.

Je lui dis OK, je ne savais pas ce qu'était un B0. Le méchant gorille quand le maton referma la porte à double tour m'installa au bureau pour y marquer le mot suivant :

Je veux changer de cellule, les mecs sont pas sympa avec moi.

Signé *Grézi*,
avec mon numéro d'écrou : 286 743 H.

Le B0 était destiné au bureau des officiers. Quarante-huit heures plus tard, ouf, j'allais changer de cellule mais avant il me fallait endurer. Heureusement, il y avait la promenade où j'y ai vu pas mal de potes de la cité qui ont été surpris de me voir.

En zonzon, il y a deux promenades, une le matin où c'est les plus courageux qui se lèvent pour courir, et l'autre la plus peuplée, c'est celle de l'après-midi : toutes deux durent vingt minutes. Quand t'es arrivant, les mecs te regardent, préférable d'avoir quelques relations déjà en place. Lorsqu'un taulard t'aborde avant de se présenter, il te demande comment sont les femmes à l'extérieur, bien sûr tu lui dis qu'elles sont bonnes, et quand il te dit « T'en as baisé ? », bien sûr, tu lui confirmes « Oui », après ça on se présente. La règle, c'est de ne jamais demander pourquoi l'autre est enfermé. L'autre ne te demandera jamais pourquoi t'es enfermé. En prison, même seul tu te sens mal accompagné, certains évitent même de se

mater dans les glaces par peur d'avoir à se fré-
quenter.

Pendant la promenade, nombreux sont ceux qui
tapent un foot, mais il est préférable de savoir jouer,
sinon tu risques d'envoyer le ballon de l'autre côté du
mur et là il y aura toujours un mec pour te chercher
des noises. Moi, je préfère tourner dans le sens de la
promenade. Si ça tourne dans le sens des aiguilles
d'une montre, je vais dans ce sens. D'autres restent
assis tandis qu'à côté y en a qui jouent aux cartes
et qui parient des cigarettes roulées au tabac bleu.
Le troc fonctionne bien : « Je te passe des oignons et
toi tu me files de la sauce tomate concentrée, je fais
des pâtes ce soir. »

Comme dans la cité, y a des mecs qui sifflent
d'autres mecs qui ont leur cellule du côté de la promenade et leur demandent d'envoyer de l'eau sucrée
pour récupérer. Mesure de sécurité, les gars ne se
plantent pas sous les fenêtres, car tout et n'importe
quoi peut atterrir sur ta tête. Un gardien nous surveille
du haut de sa guérite. Plus haut, un autre nous mate
avec un fusil à lunette, il est au mirador. Quand y a
embrouille, les mecs forment un bouclier, le maton de
la guérite ne voit rien. Ou, des fois il fait en sorte
de ne rien voir, surtout si celui qui se fait balafrer est
un pointeur. En zonzon on n'aime pas les violeurs, là-
dessus les matons et les prisonniers ont le même

combat : pas de pitié, certains prisonniers ont des enfants à l'extérieur chaque môme est un peu leur môme. Plus que dans le quartier les clans sont visibles à fleur de peau, les Noirs avec les Noirs, les Blancs avec les Blancs, les Arabes avec les Arabes et les numéros de département avec les numéros de département.

La poignée de main est suivie d'un regard intense, c'est la marque du respect de l'autre. Ici plus qu'ailleurs, ça a son importance. Pas de shake.

Au départ je pensais porter un pantalon et un pull à rayures comme dans *Lucky Luke* ou bien comme les frères Raptout dans *Picsou,* pas du tout. Nos familles peuvent nous envoyer des affaires, ceux qui n'ont pas d'argent, on leur offre un survêt de la prison, sans rayures, avec une paire de chaussures en plastique qui puent très rapidement si on oublie de mettre des chaussettes. La promenade ne change jamais. Là, comme le soleil arrive, on trouve des mecs torse nu, les pompes sculptent leur corps et les records se vérifient. Hier y a un mec, il en a fait d'un coup 300. C'est grave comment maintenant les autres s'entraînent pour essayer de le battre.

Y a des mecs qui préparent des mauvais coups pour quand ils seront sortis. Pas question de t'asseoir où tu veux, certaines places sont réservées à certains caïds et s'ils t'y trouvent, c'est direct une droite sur ta face.

Voilà ce que je peux retenir de la promenade dans le quartier jeune, je pourrais encore t'en écrire des pages mais il faut la vivre pour la comprendre, cette pute de promenade qui se finit toujours trop vite. Lorsque le coup de sifflet est lancé pour signaler sa fin tout le monde gratte deux ou trois tours supplémentaires, pas plus, sinon les gardiens font un rapport sur l'un des prisonniers choisi au hasard. Celui-ci aura le privilège de passer sept jours au mitard, motif, meneur de la promenade. Au mitard, il sera limité à une promenade par jour et il y tournera en triangle, c'est les promenades camembert. De retour en silence, dans la cellule, on remarque vite fait si les matons ont fait une fouille à la recherche de stupéfiants cameshit, qui sont à la prison ce qu'est l'argent à l'extérieur. Celui qui réussit à en faire passer est assuré de vivre paisiblement du troc : un joint contre trois paquets de pâtes, etc., etc.

Si pendant la fouille ils n'ont pas trouvé de stupéfiants, ils vont observer tes draps. Si jamais ils remarquent que tu les as déchirés pour en faire de fines lanières qui te serviront à faire des yoyos là aussi tu risques d'aller au mitard. La première fois, le plus gentil ayant entendu qu'on criait le nom de sa cellule :

– Eh la 212, pécho le yoyo!

... on me demanda à moi de sortir mon bras entre les barreaux, de le tendre le plus possible à l'horizontale, et là, en quelques secondes, un savon autour duquel était noué un long cordeau de lanière de drap s'enroula autour de mon bras. L'expéditeur me cria d'envoyer à mon tour le yoyo à la 226, je criais à la 226 de sortir son bras pour intercepter le yoyo. Pour l'expédier c'est très simple, il faut se la jouer Thierry la Fronde. Quand la 226 a reçu le savon, le plus calme des deux gorilles me demanda de pas lâcher le cordeau, il allait faire une douane, c'est-à-dire qu'à la tête du yoyo il y a un poids et qu'à la queue il y a de la bouffe et quand le mec de la 218 lâcha son colis, le mec de ma cellule tapa dans la gamelle, c'étaient des pâtes au sucre, tout se passa à une vitesse folle.

Au retour de la promenade, les gardiens n'avaient rien trouvé à nous reprocher dans notre cellule, pourtant le shit était présent et les lanières du yoyo aussi. Le comble, c'est que les deux gorilles n'hésitèrent pas à faire savoir leur mécontentement au gardien responsable de cette fouille. Le maton leur dit que s'ils n'étaient pas d'accord avec le règlement intérieur, ils n'avaient qu'à faire un B0. Bien sûr qu'ils n'allaient pas faire un B0 pour contester le règlement intérieur, sans quoi ils risquaient de passer un long moment au mitard. C'est dommage, ils auraient été oubliés dans les cachots du mitard, j'aurais hérité de leur cellule avec toutes ses options : télé, radio, posters de cul en veux-tu en voilà, bouffe à ras bords, balai, cigarettes, yoyo, shit, etc., etc., etc., et une chauffe sauvage déjà bien réglée qui ne fait pas de fumée.

La chauffe sauvage est un bricolage astucieux qui permet d'obtenir la résistance d'une flamme de gazinière grâce à une large mèche découpée dans une serpillière ; celle-ci est baignée dans un pot de Yabon caramel vidé de son contenu qui est désormais le réservoir d'une certaine quantité d'huile végétale inflammable par nature. La mèche est maintenue à la surface du pot par deux tiges métalliques qui règlent également l'intensité de la flamme, feu doux ou feu fort. Mieux la mèche est serrée entre les deux tiges, moins la casserole sera noircie par l'épaisse fumée qui s'échappe du feu de la flamme. La casserole est maintenue en élévation grâce à trois canettes vidées de leur contenu et remplies d'eau pour ne pas se décomposer sous le poids de la chaleur. La chauffe sauvage bien domptée, tu peux faire chauffer l'eau de tes pâtes ou même faire des gâteaux lorsque c'est l'anniversaire de l'un d'entre nous. Tout ça pour te dire, la cellule de mes deux gorilles est sacrément équipée même pas en rêve, ils n'auraient fait un B0 pour se retrouver dans les cachots du mitard.

Après la fouille des matons, il a fallu refaire le ménage pour que la cellule retrouve son côté nickel, elle révèle qui l'habite. Elle se doit d'être propre si tu ne veux passer pour un crado vis-à-vis des autres détenus qui ont vite fait de te coller une sale réputation. Pendant que l'un des gorilles refaisait son lit l'autre balayait, moi je faisais la vaisselle avec peine j'essayais d'effacer la noirceur des casseroles, la chauffe avait merdé.

Le plus gentil des gorilles a observé que sur le bureau j'avais gravé mes initiales. Il m'a demandé de les rayer. Tu marques ton nom en zonzon ; il te faut savoir qu'il te faudra toujours revenir le faire disparaître, comme j'ai pas envie de revenir après ma peine c'est cash que j'ai désintégré mon blaze. Le plus méchant des gorilles n'a pas trop apprécié que j'esquinte la surface de son bureau, après une légère embrouille tout est revenu à l'ordre, je me suis excusé. Savoir être malléable dans un endroit clos, si tu ouvres ta bouche, il faut assumer et comme il n'y a pas de sortie de secours, vaut mieux faire la paix.

De toute façon il ne me restait plus qu'une nuit à passer dans cette cellule, ensuite je serais, je l'espère, avec des prisonniers plus cool que ces deux gorilles qui même entre eux ne discutaient jamais, ne riaient jamais, la seule chose qu'ils faisaient au même rythme, c'était dormir.

Le dernier soir dans leur cellule, un samedi, le premier du mois, le plus chaud des plus chauds dans toute la prison, à minuit pétante un écho de voix s'échappa de toutes les cellules, on entendait certains mecs crier vers la 202 :

– Soirée branlette !

... puis vers la 208, et enfin à la 230 :

– Tchitcha, ça commence.

Puis arriva un silence d'une heure trente, soit la durée du film X, qui ce soir-là était vraiment hard, merci Canal. Le gentil gorille fit une pipe au méchant. Être face à cette vérité me mettait mal à l'aise. Dans l'action, le méchant gorille me demanda si je le voulais, je refusai, alors il me hurla tout transpirant de lui passer les capotes qui étaient dans l'armoire, et c'est férocement qu'il sodomisa le gentil gorille qui semblait prendre du plaisir. Ils étaient déjà bien plus haut que tous les ciels. A travers le sexe ils avaient vraiment réussi à s'évader.

Du haut de mon lit superposé, le corps recouvert par mon drap je souriais, j'avais tellement la trique qu'on aurait cru que mon drap blanc était habité par un fantôme. Le bout du chibre tout huileux je commençais à avoir des chaleurs et sentir des crispations au niveau de mes membres inférieurs jusqu'à mes dix petits orteils.

En fin de compte, à ma grande surprise je découvris qu'ici l'amour, pour le mériter, il fallait le violer et c'est à quoi j'avais assisté en direct, moi qui croyais que si un mec te violait c'est que tu l'avais cherché, ici pas du tout, il suffit que tu aies une tranche de fesse pour y passer.

Après le film X, des voix s'échappèrent d'entre les barreaux. Le méchant gorille sortit sa glace à travers la cage, il appela la 218 avec le reflet de son miroir il put voir son interlocuteur qui lui aussi grâce à sa glace pouvait voir la tronche d'enculeur du méchant gorille qui ne se cachait pas pour faire comprendre à la 218 qu'il avait bien pris son pied, tandis que le pauvre gentil gorille pleurait de chaudes larmes avec pour moi un regard très attendrissant. Après avoir fait sa toilette qui dura facilement deux heures, il alla se coucher et encore il pleurait. Je comprenais pourquoi il n'allait jamais en promenade, tous savaient qu'il se faisait mettre et si jamais il pointait son nez en promenade, il se ferait tabasser. C'est une règle on aime et respecte les enculeurs, mais pas les mêmes faveurs pour les enculés.

Après avoir assisté à cette scène je ne dormis que d'un œil, cette nuit-là j'avais pas envie de passer à la casserole. Dans les yeux je te le dis, Yaz, si le

gros méchant gorille m'avait entubé je l'aurais tué
après lui avoir bouffé ses couilles jusqu'à la racine.

A présent je dors avec des rêves décontractés,
j'ai été transféré dans une autre cellule grâce à mon
B0. Avant ça j'ai rencontré un gradé qui m'a demandé
si c'était franchement mon souhait de changer de cellule. Je l'ai convaincu, une heure plus tard je faisais
de nouveau mon paquetage pour me rendre dans ma
cellule pendant que l'occupant était en promenade.

Apparemment ça doit être un arrivant comme
moi car tout est vide. Il y a quatre murs dont un possède une porte avec un œilleton qui n'a plus de cache
et qui est recouvert de l'intérieur par un mouchoir,
pour que les autres, détenus et matons, puissent respecter son intimité.

Sous l'œilleton aveuglé il a accroché une boîte
qui lui permet de mettre les feuilles à cantiner qui sont
de toutes les couleurs et chaque couleur représente
le jour où l'on veut recevoir ses provisions. Cette
boîte en carton scotchée contre la porte permet également au maton de déposer le courrier que les potes
lui envoient et aussi ça évite au gardien de demander
si on a du courrier à envoyer, car si tu écris tu laisses
dans la boîte ta lettre et direct le maton la ramasse.
Ici, tu sais, si tu envoies du courrier il est obligatoire
de ne pas le sceller avec le coup de langue, faut

qu'on puisse lire ce que tu écris, on ne sait jamais si tu veux qu'on t'aide à t'évader, mais sache que même le courrier que l'on reçoit est lu, on ne sait jamais, si tu veux m'évader.

Toujours sur le même mur il y a encastrée une radio, qui ne clique que sur deux stations qui te dépriment avec leur musique de romantique. Dans cette cellule il y a un autre mur qui lui est infecté de lianes métalliques qui te rappellent chaque jour que tu es en cage. Les deux autres murs sont des murs sans aucune incrustation. Au plafond il y a comme dans la cave du 123 une maigre ampoule qui dégage que trop peu de lumière. Le sol est occupé par le chiotte qui est dans un angle tout comme le petit évier qui nous sert à faire notre toilette et notre vaisselle. Contrairement à ma précédente cellule, le chiotte n'est pas recouvert par le rideau spécialement conçu pour cela. Ici il faudra se dissimuler sous une couverture, pour les décharges les plus urgentes on se métamorphose en fantôme sur le trône. La seule et unique armoire n'est pas pleine de ses affaires et même avec les miennes elle ne le sera jamais. Apparemment il couche dans les hauteurs du lit superposé vert métallique, sans échelle. Le bureau est plein de livres aux titres trop mortels dans la prononciation, même toi je me demande si tu réussirais à comprendre les mots qui y sont écrits en tout petit, le mec doit être une tête que je me suis dit dans ma tête quand je suis entré dans sa cellule, qui déjà me plaisait malgré qu'on était loin de toutes les options qu'avaient les deux autres gorilles. Pour résumer ce que je ressens un dicton comme tu les aimes fera l'affaire, je cite, j'ouvre les guillemets : « Mieux vaut un petit chez-soi, qu'un grand chez-d'autres. »

Le maton avant d'entrer dans la cellule a scotché mon nom sur la porte en dessous de celui de Kurtis qui est vraiment très intéressant comme mec, mais je préfère pas trop lui envoyer de fleurs comme c'est lui qui écrit mon courrier (rires). Après avoir fait connaissance avec Kurtis qui était revenu de promenade, le maton est venu me chercher pour que j'aille prendre ma douche, une par semaine. On s'y retrouve enfermé à dix mecs, certains gardent leur caleçon, la peur du coup de la savonnette, tandis que d'autres ne se lavent que les cheveux, sans mouiller leur corps. Bonjour l'hygiène de certaines hyènes qui n'assument pas de s'accepter sans survêt-baskets, de toute façon même à poil comme des vers, ils restent habillés de tatouages à volonté. J'ai fini par comprendre : un point, l'emblème du solitaire, trois points, mort aux vaches, cinq points seul entre quatre murs, dix points j'encule la justice jusqu'au bout des doigts, je l'ai sur ma peau. Après il y en a de plus poétiques comme la fleur par exemple qui signifie une pensée en son cœur. La rose à la sève d'encre de Chine marque à jamais sur les corps une dédicace aux mères prisonnières des bêtises de leur fils.

Des symboles il y en a et crois-moi, pas en toc. T'en as qui ne sortent plus de leur cellule et qui cantinent à volonté pour d'autres détenus. Rien qu'à la voix, ici y a des mecs qui font la pluie et son beau temps avec ou sans tatouage. J'ai commencé à lire et à écrire grâce à un papa du grand quartier qui est en zonzon pour perpète à cause du meurtre de la femme et de l'amant. Moi, à côté d'eux je suis un ange, j'ai pensé avant de les connaître. Un prisonnier, même meurtrier, reste un homme plus utile à la société qu'à la zonzon, ces papas-là pour moi sont des vrais papas qui apprennent aux jeunes comme moi ce qu'est le respect de l'autre, ce qu'est l'amour de son prochain.

Dans le procès-verbal, t'as pu t'en rendre compte, l'histoire que mon père s'était fait serré par les keufs, c'était bidon, je suis un bâtard pure souche. Mon père a engrossé ma mère et hop il s'est barré, elle ne voulait pas avorter. Des fois, je regrette qu'elle ne l'ait pas fait, je lui ai fait tellement de mal à cette pauvre femme qui est toute fatiguée par le fils indigne que je suis. Ici les papas m'apprennent à accepter

d'être ce que je suis pour ne plus l'être, comme
ça bientôt je pourrais permettre à ma mère de venir
me voir au parloir. J'ai pas la force suffisante pour
m'imaginer qu'il faudra croiser son regard tout fatigué
par la tristesse que j'ai fait naître en elle.

La douche s'est transformée en sauna et mon
gant de toilette qui n'était ni plus ni moins que mon
caleçon m'a décrassé de tant d'impuretés.

Je me suis transformé en une sorte de bonhomme de neige tellement mon savon de Marseille
avait fabriqué de mousse. La douche n'est pas à
volonté, elle est réglée par une minuterie. Pas le temps
de se rincer, c'est tout emmoussé que le maton m'a
fait regagner ma cellule.

Quand tu passes devant une prison, t'as vraiment l'impression que c'est immense, mais une fois
que tu y habites tu te rends vite compte que c'est
petit, vraiment tout petit, même un Pygmée ne pourrait s'habituer à cette étroitesse, il ne m'a pas fallu
plus de trois pas pour rejoindre ma cellule. J'aurais
été unijambiste, ça n'aurait pas été plus long, je te
le jure. Une fois séché et changé vraiment tu te sens
trop bien, la seule chose qu'il me faudrait pour bien
digérer ma douche ce serait une femme, une vraie,
pas une meuf comme il y en a plein la cité. Plutôt le
genre de femme qui te dit mon amour et qui sait te

faire l'amour comme dans le film X de chez Canal. Mais il ne faut pas prendre ses rêves pour des réalités, je suis en zonzon. J'espère que toi tu en profites, sinon t'es vraiment un gros naze. Quand je repense au méchant gorille qui avait mis la mousse du savon de Marseille sur sa queue pour pouvoir s'enfiler son préservatif qui était trop mince pour son gros zob d'enculeur, paraît-il que le savon de Marseille est un parfait lubrifiant, mais il est parfait pour plein d'autres tâches, c'est un multifonction : quand on a plus de dentifrice il soigne les molaires et rafraîchit l'haleine, il fait l'affaire pour laver ses affaires, même la vaisselle il sait la faire, hip hip hip hourra pour le savon de Marseille qui nous aide dans nos tâches ménagères et corporelles (rires).

Notre cellule étant ce qu'elle est, nous essayons de trouver des occupations, on écrit des poèmes avec Kurtis. C'est un vrai magicien du mot, écoute :

> *Un jour sans toi c'est comme un été sans soleil, et notre soleil c'est toi, oui toi, liberté, qui dans un sommeil d'éternité nous as abandonnés...*

C'est sûr, c'est pas de la balle, comme dit Kurtis, qui n'arrête pas de me répéter que nos poèmes sont caca, mais moi j'aime, même s'il a peut-être raison, quand il dit que ça pue le Boys Band. Écoute encore :

> *L'esprit sonnait dans l'abri sombre de sa cellule, le prisonnier comprit cent fois que les prix sont lourds pour ceux qui s'égarent de la route, alors il prit son mal en patience dans sa nouvelle résidence pleine de frissons qui lui redonna une raison, survivre...*

Écoute, Yaz, ce que moi j'ai écrit sans l'aide de Kurtis :

> *Plus que me punir, la prison m'a fait réfléchir sur mon avenir...*

C'est pas du Molière mais au moins c'est sincère. Quand on a perdu le fil de l'inspiration on joue aux dames ou au jeu de l'oie, comme on n'a rien à parier, on n'a rien à perdre. Quand dans les autres cellules il y a du bon son, on leur demande de monter le volume et l'on danse raidement sur du Bob, la cellule n'a pas la superficie d'une piste de danse à la Travolta, sinon on essaye de s'incruster dans le plus d'activités possible. Cette semaine j'ai fait du théâtre, c'était sympa d'être dans la peau d'un autre, l'espace d'un court instant. Kurtis lui va à la messe tous les dimanches matin, pourtant il n'a pas la foi mais le Père est sympa, il nous parle pas de religion mais de Dieu. Avec le Père, c'est le seul moment où tu ressens que tu n'es plus un taulard, il est respectueux. C'est pas lui qui te forcerait à vomir après ta visite du parloir pour vérifier que tu n'as pas avalé de stupéfiant après que ta mère t'a fait la bise, c'est pas lui qui te ferait baisser ton froc et qui te plierait à genoux pour observer si ton anus ne dissimule pas de chichon, shit zetlah, sans oublier que le maton te demandera de tousser, paraît-il, ça décontracte le trou de balle qui lâche ce qu'il a dans le bec. Le Père prie pour nous et nous pour lui.

Comme tu peux le comprendre, plus on s'occupe et plus vite le temps passe. Ni moi ni Kurtis ne travaillons pour l'instant, mais au prix que l'on nous paye, on préfère ne pas mettre la main à la pâte, on a tort ou raison je n'en sais rien. Couper du carton toute la journée pour des clopinettes, non merci, surtout qu'il y en a trop qui se sont fait sauter des bouts de doigts. C'est dans les ateliers qu'il y a le plus de règlements de comptes, du style tu te reçois un boulon qui te traverse le crâne, tout ça parce que la fois dernière en promenade, tu as ri trop fort et qu'un détenu l'a interprété comme étant le foutage de sa gueule et se venge. Le problème c'est que si tu ne travailles pas, tu ne t'embourgeoises pas, ton pécule reste vide, sans un sou, et ne compte pas sur tes potes pour t'envoyer un mandat. T'es condamné à bouffer la gamelle que la prison te donne et t'es obligé d'accepter les affaires que la prison t'offre. Le pire, t'es limité à écouter la musique de romantique que la radio aux deux stations te balance toute la journée. Ici il n'y a pas de chant d'oiseau le matin, par contre il y a un son qui y ressemble, chaque jour au réveil le maton vient vérifier si on n'a pas essayé de scier les barreaux de notre cellule, c'est à l'oreille qu'il remarque si tous les barreaux sont à l'unisson :

Clic, clic, clic, clic, clic fait le chant des barreaux frappés par une barre de métal. C'est OK, RAS qu'il doit penser quand les barreaux résonnent les syllabes de la prison.

Certains récidivistes m'ont raconté, le plus beau jour en prison, c'est la sortie. On te rend tes effets personnels, ta fouille, l'argent de ton pécule libérable et un papier qui justifie ta sortie par la voie légale. Certains vont aussitôt se faire dorloter par des prostituées bien intentionnées, puis ils se tapent un bon restaurant avec le meilleur vin. Enfin les couilles vides et l'estomac bien plein, le plus dur reste à faire, les retrouvailles avec la famille qui t'a pleuré chaque jour alors que toi égoïste tu l'avais déjà oubliée dès le premier jour de ton entrée.

Respirer un bon coup avant d'oser frapper à la porte de ton vrai chez-toi, t'arranger une dernière fois le col de ta chemise, éloigner de toi ton sac plastique plein de tes sapes en gros en marqueur noir les matons ont marqué ton numéro d'écrou et le nom de la prison qui t'a hébergé ces dernières années. Quand le courage se présente, tu frappes très gentiment la porte qui n'attend pas pour s'ouvrir. Un cri de joie te perce les oreilles, c'est ta mère en larmes qui se jette autour de ton cou et qui t'embrasse comme elle a dû le faire le jour de ta naissance. Toi pendant toutes les retrouvailles tu te retiendras pour ne pas verser les larmes qui trop longtemps ont été prisonnières dans la prison de ton cœur.

Face à face à ton père, ton regard baissé, tu fixes tes pompes de prisonnier, tu sens que tes yeux vont couler, tu ne comprends pas pourquoi lui ne se jette pas dans tes bras, tu doutes, tu penses, il m'aime ou il ne m'aime pas? Il ne bouge pas, il te fixe toi et ta tête rasée, puis il te parle d'une voix émue qui chante le pardon, quoi que tu aies pu faire, tu restes son fils et il te met une claque violente sur ton crâne d'œuf. Le regard en larmes tu le regardes, il te sourit et détourne son regard du tien, ton père pleure et toi tu pleures aussi, et la chaleur qui reste sur ton crâne d'œuf n'est qu'un bref aperçu de l'amour violent qu'il te porte. Et c'est autour d'un plat cuisiné par la meilleure âme de ta mère que les retrouvailles se terminent avec pour tous une larme à l'œil qui ne blesse pas les cœurs. Pourquoi faut-il mourir pour se sentir aimé ? La chance qu'a un prisonnier, c'est qu'à sa sortie il est ressuscité, une autre vie commence pour lui s'il se donne la hargne de la saisir, sans quoi il ne sera qu'un pensionnaire de la maison carcérale, un récidiviste.

Si le plus beau jour en prison c'est la sortie, c'est clair que le plus horrible c'est son entrée, il ne faut pas être sorcier pour le deviner. L'avantage que j'aurai, comparé au récidiviste qui m'a raconté sa sortie, c'est que moi j'aurai pas à supporter le regard pesant de mon lâcheur de père, auquel je ne ressemble guère d'après ma mère qui s'est fait avorter de lui. Bref, comme tu le dis si bien, nos histoires n'intéressent personne sans quoi on l'aurait su, n'est-ce pas, Yaz ? La misère dérange, certains branchés essayent de l'imiter avec de fausses attitudes, je ne suis pas dupe, ce ne sont que de pâles copies qui aujourd'hui vantent nos vies qu'ils s'approprient. Ton vécu fait ce que tu es, la prison est une expérience de bonhomme à condition de ne pas y mettre deux fois les pieds, m'a dit l'un des papas qui, lui, a pris le max.

La première fois que tu mets tes pieds en zonzon, tu crois que tu ne tiendras pas le choc, tu penses même qu'aux premières occasions tu te trancheras la veine pour t'évader dans l'autre monde où la liberté est reine, mais face à un mec qui te sourit et qui te dit qu'il habite en zonzon depuis quinze piges, tout de suite tu deviens réaliste et tu te dis que toi, ta peine c'est du gâteau, qui va passer comme un suppo à la poste. C'est une peine de pute.

Le jour 1, comme t'es stressé, le médecin te file des cachetons qui te calment. Le médecin m'a aussi filé des clous de girofle pour camer ma rage de dents. Une vraie grand-mère, ce mec généraliste de la médecine qui avait été très piquant le jour de ma prise de sang HIV aux analyses top secret. Écoute ce qu'a écrit Kurtis à ce sujet :

> *Les années mille neuf cent quatre-vingt DAS,*
> *le sida décida que tu décédas si d'aventure*
> *en aventure tu ne ménageas ta monture*
> *protège-toi et le DAS n'aura pas l'audace*
> *de te présenter son HIV pour t'achever, si*
> *t'as pigé protège-toi, protégez-vous car*
> *aujourd'hui on meurt aussi d'amour...*

Yaz, je lui envoie pas des fleurs mais ce Kurtis, il est grandiose dans la poésie du mot, à côté de lui Molière et sa perruque peuvent se rhabiller dans leur tombe de manouche.

Dans une prison construite au fin fond de nulle part je pleure dans le marécage de mes larmes qui me noient pas à pas, et dans le noir violé par le puissant projecteur du mirador, je me vois apparaître à chacune de ses visites si éphémères, mais pleines de lumière comme l'est ma mère à qui chaque soir je dédie ma prière. L'horizon ici je le vois à la verticale comme l'aplomb de mes barreaux. Tu sais ici même l'air sent le renfermé jamais aéré par le courant d'air d'une pensée ouverte, tout reste bloqué, pas l'ombre d'un ricochet de liberté. La prison n'est pas à souhaiter à son ennemi juré. Yaz, pour me faire pardonner j'ai pris le temps de dicter à Kurtis les aventures des mecs du quartier, à toi je lègue toutes ces histoires vécues et immortalisées sur ces bouts de papier, je n'ai pas oublié que tu souhaitais écrire un bouquin.

Tu pourras, je crois, concrétiser ton travail grâce aux archives de ma mémoire écrites à l'éclat de cette encre noire symbole de l'espoir du taulard que je suis ici-bas. Bats-toi, crois en toi, la force tu l'as en toi. A tous ceux qui dans ma vie m'ont ralenti par leur aide en espérant que ma mort cette garce leur sera fidèle.

Grézi...

De sa cage carcérale, Grézi a fait l'effort de m'écrire, dans ma cage d'escalier c'est avec attention que je l'ai lu. La lumière invisible du lieu n'a pas cligné de l'œil. D'un trait même pas saccadé, mon imaginaire l'a revu. Je n'ai pas d'argent à lui envoyer, mais ma mine déborde de questions. Un courrier, je vais lui gratter, sans attendre de réponse. Mon correspondant m'a fait subir mille et une souffrances. Pourtant, je pardonne. Jamais, ça, il ne le saura.

Noir.

La lumière elle-même me sait insincère et me laisse dans la nuit de son sommeil. Je frotte sur le sol, une, puis deux allumettes, identiques à celles de John Wayne. C'est Grézi qui me les avait passées. Le journal prospectus sur lequel mon cul est posé flambe et m'offre des éclats qui me laisseront conclure. Les histoires de quartier du best of de la mémoire de Grézi partent en fumée. Je ne vous les balancerai pas. Faites l'effort de nous rendre visite. Dans nos cités, c'est la France de demain qui est mise hors jeu. Elle te demande une poussette, une courte échelle, une aide autre que l'inauguration d'un panier de basket.

Fin ou presque.

La lumière resurgit. J'ai tout enfumé. Je m'esquive, j'entends mon Daron gueuler :

– Espèce de voyou, il aurait dû te tuer, cinglé de ta race !

Paf ! ! !

Rouge…

Fin.

COMPOSITION : PAO EDITIONS DU SEUIL

GROUPE CPI

Achevé d'imprimer en avril 2007
par **BUSSIÈRE**
à Saint-Amand-Montrond (Cher)
N° d'édition : 78995-2. - N° d'impression : 70599.
Dépôt légal : février 2005.
Imprimé en France